Carrefour
des nostalgies

Antoine LAURAIN

Carrefour des nostalgies

ROMAN

Mon passé, c'est les trois quarts de mon présent.
Je rêve plus que je ne vis, et je rêve en arrière.

Jules RENARD

Mémoire effaçable et programmable
à lecture seule.

EPROM

Carrefour : endroit où se croisent plusieurs rues, voies, ou chemins. Nostalgie : état psychologique mêlant une douce tristesse à un envoûtement lié au passé.

Les souvenirs provoquant la nostalgie étaient-ils si heureux que cela ? Rien n'est moins sûr. Si certains portaient en eux l'état de bonheur, beaucoup étaient simplement « quotidiens », même « banals ». Pourtant les années qui nous en éloignent, à la manière du vieillissement des vins, leur confèrent un goût et un parfum inimitable.

À haute dose, la nostalgie peut faire glisser vers l'indolence, l'inaction, l'apathie.

Ce ne sera pas le cas dans cette histoire.

Le champagne était encore posé sur le buffet quelques minutes auparavant. Par un tour de passe-passe d'une extrême dextérité, il venait de disparaître, remisé en dessous certainement. À l'autre bout de la salle, un bouchon avait claqué et tous les regards s'étaient tournés. Regards courroucés, outrés pour certains.

— … Puis quoi encore, avait murmuré Julien Bailler.

Le jeune homme responsable du bruit avait haussé les épaules et s'était versé un verre avec une mimique indiquant qu'il était désolé mais qu'il avait soif.

Moi, je n'avais pas soif. Je connaissais le résultat définitif depuis trois quarts d'heure. La cellule du parti m'avait d'abord joint à dix-sept heures trente, pour me dire d'une voix blanche que le score, contre toute attente, s'annonçait serré. Je le savais déjà. Mon ami Armand, des renseignements, m'avait appelé en franc-tireur dix minutes plus tôt. Les votes en ma faveur stagnaient depuis une heure. Je ne remontais pas.

— Ils disent que c'est un phénomène de vases.

— Quoi de vase ? La vase de la rivière ?

— Non, de vases communicants. Il y en a un qui se remplit et l'autre cesse de se remplir… l'autre, c'est toi.

— C'est quoi ces histoires de vases à la con ?

— Ils disent que c'est rare mais que ça arrive.

Une heure et seize minutes plus tard, l'état-major du parti confirmait l'histoire vaseuse d'Armand :

— François…

— Ça ne marche pas ?

— Non… Alphandon a réussi, on ne sait pas comment, mais… c'est lui.

« C'est la surprise, François Heurtevent perd la mairie de Perisac », annonçaient les journaux télévisés nationaux. Les sondages me donnaient pourtant gagnant dans tous les cas de figure. Perdre la députation, soit, la mairie de Perisac, c'était presque impensable.

— Ce n'est pas grave mon chéri, m'avait dit doucement ma femme, juste derrière moi, juste dans ma nuque, comme une muse apaisante.

Des mots comme on en dit aux enfants qui viennent de perdre une compétition sportive, au club Mickey.

« Si, c'est grave. » J'aurais voulu répondre d'une voix sombre et virile, sans appel. Mais la phrase n'était pas sortie. J'étais resté bloqué sur les bouteilles de champagne qui venaient de disparaître, puis mes yeux avaient dérivé vers un poster encadré au mur qui vantait les excursions à vélo dans la région. On y voyait des cyclistes filles et garçons tout sourires pédalant bon train sur nos belles routes. Ils étaient bien les seuls à sourire dans la permanence du parti reconvertie pour l'occasion en QG de campagne. Cette photo, je l'avais toujours connue, elle commençait à pâlir sous le soleil, elle devait être là depuis vingt ans. Le deuxième septennat de Mitterrand. Cela semblait loin aussi, à des années-lumière. On aurait dû la changer, depuis le temps. En mettre une nouvelle. Quelque chose s'était endormi dans la ville. Ce que les journalistes en mal de trouvailles nomment le train-train, moi aussi j'en faisais partie, et même, depuis deux mois, je le représentais. Je venais de payer l'addition. Les jeunes qui pédalaient sur la photo avaient une vingtaine d'années. Vingt ans d'écart, ils devaient en avoir quarante maintenant, être mariés, avoir des enfants, qui eux-mêmes avaient des vélos...

« Si Derk voyait ça » était la seule phrase que j'avais failli prononcer, mais celle-là non plus n'était pas sortie.

— Il n'y a que deux cent deux voix d'écart, m'avait rappelé Beauvin en me posant la main sur l'épaule.

Je m'étais tourné vers lui et l'avais regardé sans qu'aucune expression ne se glisse sur mon visage. Ni colère ni désespoir. J'avais regardé l'adjoint à la culture comme j'avais regardé l'affiche de randonnée. Comme j'aurais contemplé un homard dans l'aquarium du poissonnier. Curieusement, l'envie d'un homard grillé m'avait traversé les papilles. Elle avait disparu aussitôt, certainement une association bien involontaire à l'un des derniers plats inventés par Sylvie et qui, dans mon trouble, m'était revenu en mémoire : « Homard grillé aux écorces de réglisse et sa sauce de prunes rouges montée en neige ».

— Tu veux manger quelque chose ? m'avait demandé le troisième de liste, en me tendant une coupelle pleine de gâteaux secs.

J'en avais pris un et l'avais mastiqué.

— C'est dégueulasse ce truc, qui a acheté ça ?

— Euh... Nous. C'est notre buffet de campagne.

— Tout s'explique, avais-je répondu, en reposant ma moitié de biscuit dans l'assiette avant de tourner les talons.

Un cameraman pliait son matériel, la salle se vidait à toute allure. Le mot « hémorragie » m'était venu à l'esprit. Sur les écrans des téléviseurs installés aux quatre coins, on pouvait voir le camp adverse faire la fête. Des jolies filles exultaient devant les caméras régionales avec des bouteilles de champagne à la main. On se serait cru en 1998 après la finale de la Coupe du monde. Cela m'avait fait penser qu'il faudrait bientôt que je range mes photos personnelles avec des célébrités au mur de mon bureau, celle avec Zizou entre autres. J'avais l'air particulièrement idiot dessus, mais les administrés avaient adoré la présence de leur maire à ses côtés. Qui disait mieux ? Personne à l'époque. Mille fois, dans la rue, on m'avait demandé si Zidane était gentil. C'était ça qui les occupait le plus : savoir s'il était gentil.

De retour à la mairie, seul sur la terrasse, j'avais entendu des pétards et des klaxons dans la nuit. Des bandes de militants déjà ivres qui chantaient. La vision était romantique, je m'étais représenté l'hôtel de ville sombrant petit à petit, et moi, au plus haut niveau de la passerelle, attendant que des eaux imaginaires m'engloutissent. C'était le moment de prononcer des phrases grandioses. Mais là non plus, rien ne m'était venu. Soixante-deux mille trois cent huit administrés, deux cent deux voix d'écart. Je m'étais demandé où étaient ces deux cent deux voix parmi les lumières des immeubles.

— Santé, m'sieur le maire ! m'avait crié un jeune homme de la place, une cannette à la main.

Était-ce un militant qui me consolait à sa façon, ou un soutien du camp adverse qui se foutait de moi ? Je n'en savais rien. Je lui avais adressé un petit signe très sobre de la main, comme le pape place Saint-Pierre au Vatican, à cette différence que le pape le faisait devant des foules en liesse. La place était vide, l'ombre d'un chien la traversa pour aller lever la patte contre un réverbère. C'était finalement l'image que je garderais de cette soirée électorale. Ce devait être un chien du camp adverse, il avait

15

bu trop de champagne lui aussi et venait se soulager devant mes fenêtres.

— Les cuisines de La Musarde sont ouvertes, viens, on va manger là-bas, avait dit Sylvie qui venait de me rejoindre, il y a du homard à la réglisse.

Au même moment, un SMS de ma fille m'était parvenu. « Putain, ça craint », avait-elle écrit avec la fraîcheur de ses dix-huit ans. Moi qui lui reprochais constamment son vocabulaire, ce soir-là je ne pouvais lui donner tort, elle avait fait la meilleure synthèse de cette soirée.

« *Il vient de perdre la mairie de Perisac aux dernières élections*. » J'avais ajouté cette phrase, en italiques, le lendemain même, à la première partie de ma biographie sur le site Internet Wikipédia.

« Heurtevent François (homme politique français) né en 1961.
Fils de Pierre Heurtevent, chirurgien-dentiste, et de l'actrice de boulevard Marie Dava-Heurtevent. Attaché au barreau de Paris à vingt-trois ans, il ne plaidera pas et débute sa carrière politique auprès d'André Dercours. Secrétaire particulier de cette figure de la cinquième République, puis attaché parlementaire, il est numéro deux de la liste emmenée par Dercours aux élections municipales de 1989 et devient son premier adjoint à la mairie de Perisac. Après la mort de ce dernier durant son mandat, il est élu maire par le conseil municipal et le reste jusqu'à la prochaine élection, qu'il remporte dès le premier tour avec soixante et un pour cent des suffrages. Personnalité atypique,

il n'est pas énarque et ne sort pas du sérail. Il étend ses réseaux bien au-delà de son parti. Il est réélu deux fois à la mairie, brigue et remporte la députation, puis la perd de peu lors des dernières législatives. Son charisme en fait une des figures de son parti. François Heurtevent est le mari de la célèbre chef étoilée au Michelin, Sylvie Desbruyères.

Il vient de perdre la mairie de Perisac aux dernières élections.

⇒ voir site Ville de Perisac
⇒ voir site La Musarde ***
⇒ voir site de son parti. »

Juste après cet acte parfaitement masochiste, j'étais parti en promenade dans ma ville. Sans aucun but précis. Comme autrefois, comme au tout début. Marchant seul dans les rues ensoleillées, j'avais l'impression étrange de remonter le temps. Dans le quartier historique, j'avais rendu visite à quelques commerçants qui me disaient avec des mines consternées ne pas comprendre la défaite. Le patron d'un nouveau bar à vin m'avait offert deux sélections de grands crus à déguster au verre. Il n'avait pas évoqué les résultats des élections, nous avions devisé sur le tanin du vin, le coût de la vie et aussi le temps qu'il faisait.

Face au lycée Paul Valéry, j'étais passé devant nos affiches de campagne, qui seraient bientôt retirées avec leurs panneaux amovibles en métal, tous reliés les uns aux autres par des grosses chaînes, type antivols de motos.

La candidate du Front national avait été lacérée rageusement, et des petites croix gammées avaient été tracées sur le fond bleu de l'affiche. Seule la tête de Bernard Farnou, le candidat vert, était intacte, les bulletins en sa faveur étaient si peu nombreux qu'il n'avait suggéré aucune haine aux Perisacais. C'était un de mes regrets de ne pas avoir fait alliance avec lui. C'était un homme sympathique, professeur de biologie à la retraite, un peu dépassé par les lignes de son parti. Notre différend avait porté sur une décharge municipale, peu aux normes, j'en conviens, mais qu'il aurait été bien difficile de déplacer vers un autre secteur. Des histoires de déchets non recyclables et de tri sélectif des poubelles pas encore appliqué avaient achevé de mettre fin à notre éventuelle entente. Le candidat communiste se voyait, lui, tatoué d'un « PD » sur le front, bien qu'à ma connaissance il n'ait aucun penchant pour les hommes. Un opposant plus lettré avait inscrit au feutre rouge : « Va te faire élire chez Poutine ». Sans pour autant signer son conseil. La liste LCR était déchirée et flottait au vent ; du plat de la main, je l'avais remise en place. Pierre-Marie Alphandon, mon successeur, était lui aussi gribouillé, mais l'auteur ne devait plus avoir beaucoup d'encre dans son Bic, car le visage n'était pas atteint. En revanche, un plaisantin lui avait dessiné, au feutre noir, une sorte de ver de terre lui sortant de l'oreille. Toujours au feutre noir, sur mon affiche, la même main m'avait fait des moustaches à la Salvador Dali et une dent noire. Je m'étais reculé pour me regarder, les moustaches n'étaient pas sans chic, la dent me plaisait moins. C'est en m'approchant que je vis que l'homme au stylo Bic sans encre avait tenté une modification de mon slogan : « Pour l'avenir avec Heurtevent », sous sa main, devenait : « Pas d'avenir… » Petite infamie, assez inventive toutefois.

Quelques années auparavant, un photographe de la ville nous avait demandé une aide du service de la culture afin d'éditer un recueil des affiches de la dernière campagne, lacérées et refaites par des mains anonymes. J'avais trouvé l'idée amusante, mais le conseil municipal ne m'avait pas suivi. Son recueil de photographies contenait à peu près tout ce qui avait pu se faire sur les entrées des bureaux de vote, ainsi des mots charmants comme « pourri », « salaud », « escroc » figuraient parmi d'autres photos bien plus poétiques celles-là. Sa volonté de tout mettre dans son recueil avait eu raison de sa publication.

— Monsieur le maire !

Je m'étais retourné pour découvrir le photographe en question. Comment s'appelait-il déjà ? Il y avait un moyen mnémotechnique pour se souvenir de son nom… Guillaume Lux, c'était ça. Comme Guy Lux.

— Bonjour Guillaume, lui avais-je dit.

Il avait semblé content que je me souvienne de son prénom.

Nous avions engagé la conversation après qu'il eût pris quelques photos des dernières affiches lacérées. Je m'étais étonné qu'il ne photographie pas la mienne, peut-être était-ce un signe de délicatesse puisque je me trouvais à ses côtés. Mais non, il m'avait déjà pris la semaine précédente, et l'affiche n'avait pas évolué, selon lui. Il continuait, dans son petit magasin, à faire les mariages, les photos d'identité et les baptêmes. Il devait s'ennuyer à la longue. Nous marchions côte à côte, prêts à nous séparer, quand il m'avait demandé timidement s'il pouvait prendre un cliché de moi.

— Pas une affiche, vous... Un portrait dans la rue.

Je lui avais volontiers accordé cette faveur.

Il m'avait fait remarquer que je n'avais plus de cravate, et c'était seulement à cet instant que j'avais noté, à mon tour, que je ne portais plus cet emblème depuis la défaite. Je m'étais adossé au mur du lycée, chemise bleu ciel ouverte, veste grise, et je l'avais regardé en tentant d'esquisser un sourire. Un petit vent m'avait balayé les cheveux, mon sourire s'était estompé et il avait déclenché son Leica, une fois, puis une autre. Il s'était penché et avait fait une troisième photo.

— Merci, m'avait-il dit avec beaucoup de respect. Vous avez changé.

— Vraiment ? lui avais-je répondu.

— Oui, avait-il prononcé gravement. Il y a quelque chose dans vos yeux...

Et il s'était éclipsé avant de me promettre de m'envoyer les clichés.

La prise de fonction de Pierre-Marie Alphandon avait été le point d'orgue de ce flottement personnel. Le jour dit, j'avais décalé la passation de pouvoir vers seize heures, afin de dormir en paix dans la matinée. Bien évidemment, j'avais rédigé un petit discours. En général, j'avais tout le personnel qualifié pour m'écrire mes bafouilles, mais, cette fois, j'avais décidé de faire cela seul. À la relecture cela fonctionnait plutôt bien. Le quotidien régional l'avait repris dans son intégralité avec une photo de moi en train de lire ma prose. J'en avais tiré la conclusion que j'aurais peut-être dû m'occuper personnellement davantage de certains aspects de ma communication. Mon directeur de campagne, Franck Charmatan et son adjoint chargé des relations médias avaient disparu aussitôt l'élection perdue. Ils avaient emporté avec eux leur slogan : « Pour l'avenir avec Heurtevent ». Je leur avais opposé que je ne pouvais pas vraiment incarner l'avenir étant donné que j'étais déjà le présent. Avec force courbes et tableaux, ces deux crétins m'avaient démontré le contraire :

— La fusion présent-avenir, c'est cette dialectique de dialogue que vous incarnez, m'avait répondu Charmatan.

Il suffisait de changer une lettre à son nom pour savoir ce qu'il était.

Mon petit discours achevé sous les applaudissements, j'avais dû serrer, dans un silence pesant, la main de mon successeur, lui souhaitant bonne chance tout en pensant le contraire. Les objectifs de la presse régionale avaient immortalisé dans leurs puces numériques ce pénible moment. Je n'avais ressenti aucune émotion particulière, j'étais au-delà de cela, je n'avais éprouvé en fait qu'une immense fatigue doublée d'un mal au dos que les deux cachets de Di-Antalvic avalés le matin même n'étaient pas parvenus à chasser. Toute l'équipe municipale installée depuis quinze ans à mes côtés allait sauter dans les semaines suivantes. Je n'étais plus rien, juste François Heurtevent, quarante-huit ans, cheveux châtains, un peu gris aux tempes, un mètre quatre-vingt-cinq, désormais citoyen ordinaire.

Un mois s'était écoulé. Le soleil filtrait à travers les rideaux de la chambre, il devait être onze heures, peut-être même midi. Ma femme, elle, continuait de se lever à six heures afin de se rendre à La Musarde. De mon côté, me lever me semblait désormais l'acte le plus doulou-reux à accomplir, une préparation mentale de plusieurs heures m'était depuis peu nécessaire. Disons qu'entre neuf heures et onze heures trente, j'agitais vaguement l'idée, pour aussitôt replonger dans un demi-sommeil, le nez écrasé dans l'oreiller, comme un chat comateux sur un radiateur. Durant ces heures vides dans la maison silencieuse, seul Archipattes venait de temps à autre vérifier mon sommeil. Matinal, le chat familial ne dormait qu'à partir de treize heures pour se réveiller vers les vingt heures, pour le journal télévisé.

Ainsi, mes matinées sous les draps n'étaient que très momentanément interrompues par une volée de griffes contre le sommier. Véritables petits hameçons qui entrent et sortent dans le tissu avec rage et délectation. Il me suffisait de crier : « Archipattes ! » du dessous de l'oreiller pour que cela cesse aussitôt, le silence de quelques secondes était suivi d'une galopade et d'un dérapage de griffes dans le couloir du vestibule. Puis, plus rien, Morphée me prenait à nouveau dans ses bras, jusqu'à midi.

Archipattes était arrivé douze ans auparavant, par la fenêtre de mon bureau de la mairie. J'étais en salle de réunion avec le département culture pour l'organisation de notre salon : « Un livre, des auteurs, une région ». Lorsque j'étais retourné vers mon luxueux bureau, pur Napoléon III aux plafonds moulurés, le chat se tenait sur ses quatre pattes, bien au centre de ma table, sur le dossier consacré aux mouvements sociaux de la CGT. Il m'avait regardé approcher sans sourciller jusqu'à ce que je m'arrête devant lui et qu'il se mette à sourire d'un air désabusé. Si l'on avait pris une photo à cet instant, on aurait pu penser que le maire de Perisac était un chat. Seul Sempé avait réussi ce genre de situation absurde et muette le temps d'un dessin. Le soir même, j'avais ramené le félin, que ma fille, Amélie, alors âgée de six ans, avait baptisé Archipattes.

Il serait faux de dire que mon nouveau rythme et mon sommeil prolongé n'inquiétaient pas mon entourage. Ma femme voyait d'un mauvais œil s'étirer dans le temps mes grasses matinées. Au début tout le monde comprit très bien cette petite phase de désarroi. On me conseilla de me reposer, de « prendre du recul ». Ma femme me préparait même des citrons chauds, ce qui n'avait pas eu lieu depuis les premières années de notre mariage. Disons qu'après la troisième semaine, cela devint suspect. Que François Heurtevent, figure de son parti et ex-maire d'une ville de plus de soixante-deux mille habitants, se comporte comme son chat, devenait difficilement acceptable.

Et puis un matin, le téléphone sonna sur la table de nuit. À tâtons je décrochai.

— Heurtevent ?

— C'est moi.

La direction du parti organisait une grande réunion avec le secrétaire, deux semaines plus tard, à la porte de Versailles. Tous les maires ayant perdu les élections étaient conviés avec les gagnants, histoire de se ressouder autour de nos instances et de définir une ligne claire pour l'avenir. Le chargé de communication Veillergant était très excité au téléphone, il tenait *impérativement* à ma présence. Il avait répété l'adverbe plusieurs fois, et aussi des mots comme stratégie, finalité, objectifs et combat.

— Il faut se ressaisir ! avait-il conclu.

Se ressaisir ? J'avais cherché la définition dans le dictionnaire : « Saisir de nouveau ; reprendre possession. Se ressaisir : v. pr. Reprendre son calme, son sang-froid, redevenir maître de soi. »

Juste au-dessus, il y avait : « Ressaigner : v. intr. Saigner de nouveau. »

« En politique, les hauts sont très hauts, et les bas sont très bas. » Cette phrase d'André Dercours, au côté de qui j'avais commencé ma carrière vingt-cinq ans plus tôt, m'était revenue en mémoire. Je n'avais connu que les hauts. Les bas allaient se révéler très bas et pourtant, c'est dans ces eaux profondes, là où même les poissons n'ont plus l'air de poissons, que j'allais entrevoir la lumière.

André Dercours, dit « Derk ». Député-maire puis sénateur, éphémère ministre puis député de nouveau, puis de nouveau sénateur, puis maire, puis ministre éphémère encore. Figure de la vie politique des années soixante-dix et quatre-vingt, vieux renard, chauve comme une boule de billard et malin comme un singe. Je me suis souvent demandé ce que je serais devenu si je n'avais pas croisé sa route. Rien, probablement, ou du moins pas celui que je suis. On ne fera plus jamais d'hommes comme André Dercours. C'était une relation de mon père, qui était son dentiste. De caries en plombages, ils développèrent une sorte d'amitié.

Nous commençâmes nos affaires ensemble, selon ses termes, l'année suivant ma sortie de l'examen du barreau. J'avais fait mon droit sans motivation. Je n'avais pas, contrairement à mes camarades, d'ambition. La cause des autres, la cause du peuple, ne me passionnait guère, c'était plutôt la mienne que je voulais plaider et personne ne m'aidait pour cela.

— Ta mère m'affirme que le métier d'avocat ne te plaît pas, me dit un jour André Dercours. C'est ton droit, c'est le cas de le dire… mais la vie, mon garçon, ne t'a donné ni une âme d'artiste, ni le cerveau d'un scientifique, alors ma question sera simple : la politique te tente-t-elle ?… En résumé, veux-tu travailler avec moi ?

Je crois qu'à soixante-dix ans, cela l'amusait beaucoup d'avoir un secrétaire de vingt-trois ans. Le terme d'« assistant » n'était pas encore employé, ou presque pas. D'ailleurs, il ne l'aurait pas compris. Il y aurait vu une connotation désobligeante. « Je ne suis pas un assisté », m'aurait-il dit en mâchouillant son dentier. Insupportable tic qu'il développa dans les derniers temps, allant jusqu'à poser l'objet du délit sur son bureau et, parfois, recevoir ses rendez-vous avec ses dents en évidence sur son porte-stylo. L'invité prenait les silences du maître pour de vastes réflexions jusqu'à ce que ses yeux se posent sur le dentier, il en déduisait alors que l'absence de paroles n'était pas due à des pensées insondables mais à un manque temporaire de canines et de molaires. Pourtant, je devais le constater, les hommes politiques ont un sens de l'observation très limité et rares étaient ceux qui repéraient le dentier sur le bureau. Jacques Chirac, lui, n'était pas dupe. Lorsqu'il venait nous voir, il commençait toujours par s'asseoir bruyamment sur la chaise Louis XV, sans jamais savoir où caser ses jambes d'acteur américain des années cinquante. Puis, l'opération des jambes achevée, il lançait à la cantonade : « Remets ta mâchoire avant que je te parle, j'ai besoin de t'entendre vieille tarentule ! »

À cette époque, j'aimais bien Chirac. Beaucoup d'entre nous l'aimaient bien, à gauche comme à droite, il avait un capital de sympathie surprenant. C'étaient les Français qui ne l'aimaient pas. Lorsqu'il fut battu en 1988 par un Mitterrand à cinquante-quatre pour cent, la claque fut rude. Derk, qui avait passé sa vie à naviguer de la gauche à la droite, véritable girouette hors-concours, lui prédit pourtant son élection un jour prochain en ces termes :

« Tu verras, tu y arriveras. La prochaine fois, probablement. Tu y arriveras comme y arrivent ces filles très chouettes que l'on trouve très sympathiques, mais avec qui on n'a pas envie de passer la nuit. Il vient un soir où on se sent seul et on baise avec elles, parfois c'est une révélation. Tu seras peut-être une révélation pour la France, le jour où elle aura envie de baiser avec toi… Attends cette nuit-là.

— Eh bah, dis-moi ! Je crois que je préfère encore quand tu as tes dents sur ton porte-stylo », avait été la réponse du futur cinquième président de la cinquième République.

Et pourtant Derk avait raison.

Les visites de Mitterrand, elles, étaient réellement déconcertantes. Les deux ne parlaient jamais politique mais vieux bouquins, qu'ils se montraient avec des minauderies de pornographes. Moi, je leur servais le café. « François, mon secrétaire », disait Derk en me désignant. « Mon homonyme », lui répliquait Mitterrand avec la petite grimace qui fit la célébrité de Thierry Le Luron. Parfois je les regardais se montrer leurs livres, on aurait dit des enfants avec des jouets. De vieux enfants, de très vieux enfants. Dans ces moments-là, un vertige m'étreignait : que faisais-je avec ces vieilles personnes, d'un autre temps, qui s'accrochaient au pouvoir par un pacte que n'aurait pas renié Faust. Si je continuais ainsi, rien ne changerait jamais, ils deviendraient complètement séniles et moi, je serais toujours là à leur servir leur café. Cela avait quelque chose de terrifiant.

L'un possédait le plus grand nombre de dossiers sur tout ce qui comptait à Paris, l'autre commandait le feu nucléaire. Tout cela parlait vieilles éditions reliées plein cuir, et moi je faisais le café, à l'eau d'Évian frémissante, dans une machine en cuivre qui datait de Daladier. Internet allait arriver, le téléphone portable, les écrans plasma, pourtant, la classe politique dirigeante vivait dans un autre monde. Un monde englouti, celui des hommes d'autrefois que la fin du XXe siècle allait balayer définitivement.

Je les laissais deviser sur leurs ouvrages de collection et je regardais par la fenêtre les voitures banalisées du service d'ordre présidentiel. Les gardes du corps, avec leurs oreillettes et leurs regards morts derrière leurs lunettes teintées, quadrillaient la rue en toute discrétion. Un vrai ballet, rien ne leur échappait à ceux-là, ni la femme à la poussette, ni l'homme à la baguette de pain, ni le couple qui traversait, ni le jeune homme en rollers... Ni moi, derrière les vitres du bureau de Derk. Un homme du service d'ordre levait les yeux vers moi, il devait apercevoir une silhouette connue derrière la vitre, une silhouette qui écartait les voilages. « C'est le jeune chez le vieux », devait-il dire dans son oreillette. Traduction : « C'est François Heurtevent chez André Dercours. » Ils savaient tout. Tout le monde sait tout sur tout le monde dans ce milieu. On appelle ça les dossiers. C'était la force de Derk. Il les avait accumulés depuis plus de cinquante ans. Pour me faire sourire, il avait sorti mon dossier du ministère de l'Intérieur, j'avais été pisté.

Travaillant pour lui, on avait cherché à se renseigner sur moi.

De ma description sur ma carte d'identité à mes habitudes les plus intimes, il y avait tout. Le bistrot que je fréquentais, la jeune fille avec laquelle je partageais ma vie et l'autre avec laquelle je partageais quelques nuits volées à mon emploi du temps et qui, bien évidemment, n'était pas connue de la première jeune fille. Eux savaient. La marque de bière que je consommais au café comme la presse que je lisais. J'ai toujours soupçonné qu'on s'était introduit à mon domicile de l'époque et que l'on avait tout passé au peigne fin pour être aussi bien renseigné.

— Les dossiers, mon garçon ! Il faut faire des dossiers. Un jour, dans un an, dans vingt ans, ils serviront.

Les dossiers permettent de faire pression sur l'adversaire et par là même de sauver sa peau. Plus on en a, plus on a de jokers. Les dossiers se répartissent en deux catégories : sexe et argent. Le sexe : toutes les déviances, maîtresses ou amants possibles. L'argent : tous les pots de vin, corruptions, malversations possibles. En dehors du sexe et de l'argent, il n'y a rien. Sauf peut-être les vieux livres…

— Cette lettre autographe de Zola est une pièce maîtresse de la littérature du XIXᵉ siècle, elle donne les clefs de son œuvre…

J'entends encore la voix du président qui, sous le coup de l'enthousiasme, s'envolait dans les aigus, et celle de Derk répondant :

— Oui… J'y tiens beaucoup.

Aujourd'hui, c'est moi qui ai la lettre.

— Je veux que tu ailles voir le docteur Houdard.

— C'est un con.

— Quoi ? Le docteur est un con ? Il t'a sauvé lors de ta petite alerte cardiaque.

— Tu exagères tout, c'était une vague tachycardie qui a disparu. Ce type m'ennuie, il me parle tennis, je me fous du tennis, je n'y joue pas.

— Tu as tort, tu devrais t'y mettre, ça te ferait beaucoup de bien.

— Pour jouer avec le docteur Houdard ? répondis-je avec un sourire.

— Et pourquoi pas ?

— Je n'irai pas voir ce médecin, d'ailleurs je ne suis pas malade.

— Tu n'es pas malade ? Mais regarde-toi ! Amélie, tu trouves que ton père est dans son état normal ?

Amélie, qui était venue passer le week-end avec nous, écarta les mains, signifiant que nous la dérangions dans ses réflexions et qu'elle ne souhaitait pas s'exprimer sur le sujet.

— Ah non, s'exclama ma femme, c'est trop facile ça, tu es priée de participer au débat : alors, ton père est dans son état normal ?

Le petit apéritif familial tournait vinaigre. Cette façon d'impliquer Amélie dans notre vie n'était pas de mon goût et l'objet de fréquentes mises au point avec ma femme. Selon Sylvie, même si elle était en première année des Beaux-Arts à Paris, Amélie devait participer à la vie de la maison et donner son opinion lorsqu'on la lui demandait. Opinion, qui, il va de soi, devait abonder dans son sens. Selon moi, chaque âge avait ses préoccupations et je comprenais fort bien que l'ambiance familiale de Perisac lui paraisse désormais très loin de la rive gauche et de ses nouveaux amis.

— Il est dans un mauvais trip, c'est normal, il a raté son élection et il n'a rien à faire de ses journées.

— C'est normal... reprit ma femme, en hochant la tête d'un air atterré. Encourage-le. C'est beau cette solidarité père-fille.

Amélie regardait sa mère d'un œil torve. Elle non plus ne semblait pas trop comprendre de quelle solidarité il s'agissait. Durant son adolescence, nos rapports étaient devenus des plus flottants. Une petite question du bout des lèvres pour moi, une réponse marmonnée pour elle. Une sorte de brouillard avait recouvert nos relations depuis ses treize ans. Longtemps, je ne fus pas certain qu'un jour le soleil se lèverait sur cette mutation climatique et hormonale. Toutefois, depuis son bac et son départ pour Paris, nos rapports étaient redevenus plus cordiaux. De là à aller jusqu'à la solidarité père-fille...

Ma femme quitta la pièce sans un mot, certainement pour aller réchauffer le plat de notre dîner. Un des essais de La Musarde, à n'en pas douter.

— Qu'est-ce qu'elle est chiante... Comment tu peux la supporter ? me demanda Amélie.

Ce n'était pas une véritable question, plutôt une pensée exprimée à voix haute.

— Ne parle pas comme ça de ta mère, répondis-je, peu convaincant, avant d'ajouter, lui donnant par là même plutôt raison, elle n'a pas toujours été comme ça.

— Ça doit remonter à loin, maugréa Amélie.

Elle n'avait pas tort. Cela remontait à presque vingt ans. C'était à la fois long et court. J'avais pourtant l'impression que c'était hier que je faisais sa rencontre sur la place du marché de Perisac.

— Et pour la jolie demoiselle blonde, ce sera quoi ?

— Deux côtes d'agneau premières.

C'était le début de la campagne de Derk à Perisac, en 1989, il s'était autoparachuté là sous une étiquette très informelle, qui lui laissait une grande marge de manœuvre, de la gauche à la droite. À cette époque, une bonne partie des votants du troisième âge, aujourd'hui disparus, avait reconnu en lui un homme d'expérience qui avait vécu la guerre, savait de quoi il parlait et en parlait bien. Derk n'était pas un perdreau de l'année, mais la dynamique de Mitterrand jouait pour lui ; le président aussi était âgé, ce qui ne l'avait pas empêché de se faire réélire triomphalement.

À coups de mots d'esprit de Sacha Guitry, de citations du général de Gaulle, d'emprunts divers à Mendès France et Blum, il avait réussi à plaire au plus grand nombre. Le sortant socialiste était miné par les scandales et le candidat du RPR était trop jeune. André Dercours avait mis tout le monde dans sa poche, y compris certains « jeunes », grâce à son deuxième de liste, un garçon charmant qui plaisait aux jeunes filles et aux vieilles dames… un certain François Heurtevent.

Sur le grand marché de la place, j'avais été envoyé avec le staff de campagne, les bras chargés de tracts, afin de serrer les mains des commerçants et des clients, caresser les toutous, faire risette aux enfants, m'exclamer devant les rondeurs des tomates, le goût du saucisson, la forme des œufs, le croustillant des poulets rôtis, le parfum des fleurs et la rondeur du vin. Un peu réservé dans les premiers temps, je m'étais pris au jeu, encouragé par Derk qui savait bien quel parti il pouvait tirer de moi. C'est au stand d'un boucher que j'ai rencontré ma femme. Le commerçant, un gros homme à moustache blonde m'avait prévenu dès mon arrivée à son stand :

— Pour moi, il n'y a pas de politiques honnêtes, il n'y a que la viande qu'est honnête, mon petit monsieur.

Le petit monsieur d'un mètre quatre-vingt-cinq que j'étais avait tenté de récupérer la main avec ce personnage.

— C'est Pierre Cardian, c'est le meilleur boucher de la place, les gens l'adorent, m'avait soufflé un conseiller de campagne, recruté sur place et qui m'indiquait discrètement à l'oreille qui était qui et qui votait quoi.

— Front national, m'avait-il dit pour finir.

Ça se compliquait. J'allais tenter un petit tour de passe-passe assez risqué, en le complimentant sur son tablier de boucher maculé de sang, merveilleux outil de sa belle profession. Jusque-là j'avais l'air du plus parfait crétin, mais je ne doutais pas qu'il me rétorquerait quelque chose sur mon complet gris et ma cravate. Ça n'avait pas manqué.

— Oui, c'est un outil de travail, monsieur de la liste Dercours, et vous votre outil de travail, il sort du pressing, m'avait-il lancé, déclenchant les rires autour de son stand.

— On échange ? lui avais-je proposé. Vous me prêtez votre tablier, je vous prête ma veste et je sers les clients durant deux minutes.

— Ah ! C'est qu'il va me gâcher toute ma viande, cet asticot, mais tiens, v'la le couteau, nom de Dieu, on va rigoler ! avait-il répondu en me tendant sa lame de boucher et en dénouant son vêtement.

J'avais retiré ma veste sous les regards affolés de mes lieutenants de campagne.

Le gros boucher avait préféré garder ma veste à la main puisque, selon lui, s'il rentrait dedans, il n'en ressortirait pas de sitôt. Moi, j'avais enfilé son tablier et l'avais noué dans les règles de l'art en boudinant la ficelle, ce qui l'avait fait changer de visage. Pour être plus sûr, j'avais passé le gant en cotte de mailles et, le couteau dans la main droite, j'avais commencé mon spectacle.

— Et pour la jolie demoiselle blonde, ce sera quoi ?

— Deux côtes d'agneau premières, m'avait dit la jeune femme que la plaisanterie paraissait amuser.

J'avais pris le quartier de côte, en avais dégagé deux à la feuille, dégraissé et cassé les os. Emballées et pesées sur la balance, ticket de caisse et au revoir mademoiselle.

Le boucher me regardait en hochant la tête. La foule s'attroupait alentour. Ensuite, j'avais fait deux belles escalopes en ouvrant une tranche de veau, pesées, emballées, ticket de caisse et au revoir madame.

— Toi, le gamin, je sais pas qui t'a appris ça, mais t'es pas un petit blanc-bec de rien, m'avait dit le boucher. Et pourtant, je voterai pas Dercours ! avait-il ajouté à la cantonade.

— On sait, Riton, tu votes Jean-Marie ! avait crié un autre commerçant d'un stand à poisson.

— Parfaitement que je vote pour lui et même si tout le monde le sait, ça ne regarde que moi !

Nous nous étions à nouveau échangé veste et tablier.

— Eh, sérieusement, m'avait-il dit à l'oreille, c'est pas dans tes écoles politiques que t'as appris ça ?

— Non, lui avais-je répondu sur le même ton de confidence. Le meilleur ami de mon père était boucher. Enfant, j'allais chez lui et il me montrait plein de choses.

Cette explication l'avait satisfait. Pour preuve, il m'avait tapé dans le dos à m'en décrocher une vertèbre avant de nous offrir deux tranches de foie de veau.

— Allez, le spectacle est fini ! avait-il crié en guise de conclusion. Les huiles s'en vont, il reste le gras, approchez, approchez !

Vingt ans plus tard, le spectacle était vraiment fini. Entretemps, j'avais épousé la demoiselle blonde qui m'avait demandé deux côtes d'agneau. Elle m'avait attendu au stand suivant avec un petit sourire.

— Vous êtes drôle, on peut vous aider dans votre campagne ?

— Oui, bien sûr, en déjeunant avec moi, avais-je eu le toupet de répondre.

Elle avait eu l'audace d'accepter. Notre tournée du marché s'achevait quelques stands plus loin et nous étions retournés au QG de campagne. Les militants qui me suivaient avaient les bras chargés de victuailles. Les bureaux du QG étaient établis dans une ancienne coopérative des vins qui possédait, au fond de son jardin, un petit pavillon habitable avec cuisine. C'est là que nous dévorions les provisions achetées sur les marchés, toujours en trop grand nombre. Le boucher nous avait offert le foie de veau et mon inconnue l'avait cuisiné au vinaigre de framboise avec des pommes sautées. Une assiette pour elle, une pour moi, un déjeuner sur une toile cirée qui devait dater de Pompidou.

— Qui êtes-vous ? lui avais-je demandé.

— Je suis Sylvie Desbruyères, la fille de Bastien Desbruyères.

— La Musarde ?

— La Musarde... avait-elle acquiescé en souriant.

Repenser à tous ces souvenirs m'avait plongé dans une immense nostalgie, proche de la tristesse. Les débuts sont merveilleux, en amour comme en politique, et j'aurais donné beaucoup pour retrouver ce dimanche matin, ce gros boucher Front national et la toile cirée de la coopérative qui fut, dix ans plus tard, sur mon ordre, réhabilitée en maternelle.

Peut-être Sylvie avait-elle raison, peut-être devrais-je consulter. Je savais bien que ce n'était pas que mon état végétatif étrange qui la contrariait, mais aussi le fait que l'échec électoral ait eu des répercussions imprévues sur notre vie amoureuse.

— Tu ne me désires plus, me dit-elle un soir dans le silence de la nuit.

— Mais non, mais non... murmurai-je. C'est pas ça...

— C'est quoi, alors ?

Cette dernière question ne reçut pour seule réponse que le frottement du drap, un vague bruit de ressorts et le silence de notre chambre. Mais que lui répondre, que je n'avais pour l'instant plus aucun désir, ni d'elle ni du reste ?

Depuis mon échec, j'en voulais presque à Sylvie. Les choses continuaient leur cours pour elle. La Musarde était toute sa vie, les hommes politiques passaient, La Musarde restait à flots, tendue comme une arbalète pour conserver sa troisième étoile. Le lendemain même des élections, tandis que j'entamais ma période d'hibernation matinale, Sylvie était retournée au restaurant comme si de rien n'était. J'avais épousé une des meilleures chefs de France, moi qui ratais les œufs pochés deux fois sur trois. Pour ma femme, la cuisine est une mission, un sacerdoce. Élevé à ce niveau, l'art possède quelque chose de mystique. Je me souviens d'une discussion entre Ducasse, Robuchon et Sylvie, à Paris. J'étais parfaitement exclu de leurs propos, je ne comprenais rien à ce qu'ils racontaient et dessinaient. On aurait dit un congrès de chimistes russes en pleine guerre froide. J'avais fini par m'éclipser et, par vengeance, je m'étais rendu dans le premier McDonald's du coin.

Chez nous, le frigidaire est constamment rempli d'essais effectués sur la cuisinière La Cornue de la famille. On y trouve des bocaux contenant des liquides étranges avec comme inscription « Ne pas ouvrir », suivie de leur composition savante. Des expériences curieuses avec des huîtres au thym ou des ris de veau au miel. Des plats que je trouve très bons sont aussitôt qualifiés de « Mauvais, ne mange pas ça » et disparaissent de ma vue, direction la poubelle, alors que je reste ma fourchette en l'air. Le sommet dans ce goût de la perfection a assurément été atteint par Vatel, qui, le 24 avril 1671, se passa un sabre à travers le corps, sous prétexte que ses huîtres n'arriveraient pas à temps. Rater un plat pour un cuisinier est comme déchoir pour un homme politique. Certains choisissent des solutions radicales pour sortir de cet enfer. Nous avons chacun nos martyrs, Loiseau pour les cuisiniers, Bérégovoy pour nous. Leur geste à tous deux glace le sang, il est l'expression ultime d'un refus de l'échec, d'une idée de soi si haute qu'elle n'admet plus aucun dérapage. Le moindre accroc est vécu comme un vertige sans fond. Alors, on plonge au plus sombre du gouffre pour en sortir les pieds devant mais la tête haute.

Parfois, il m'arrive de déambuler, les mains dans le dos, dans les cuisines de La Musarde, saluant l'équipe de Sylvie et parcourant du regard des casseroles au contenu indéfini. Enfant déjà, je m'étais entraîné à cette prouesse d'être toléré dans les lieux sacrés de l'art, en visiteur privilégié. Il ne s'agissait pas des fourneaux de la gastronomie mais des feux de la rampe. Ma mère était actrice, elle l'est toujours d'une certaine façon. J'ai connu les velours rouges des théâtres des Grands Boulevards, les rideaux métalliques des pompiers qui les testaient avant chaque représentation et surtout les coulisses des machinistes aux mille câbles et poulies qui me fascinaient. Le fait que la scène où jouait et passait tant de monde soit déserte, avec moi seul dessus, me procurait d'étranges vertiges qui ne duraient jamais très longtemps puisque ma mère me cherchait, ou plutôt m'envoyait chercher par un régisseur ou une aide costumière qui me ramenait à sa loge.

Marie Dava eut du succès durant une bonne vingtaine d'années. Pas avec du Pinter ou du Corneille, non, son registre à elle c'était le boulevard, celui qui avait l'air si français et était en réalité traduit de pièces anglaises ou américaines. *Appartement pour quatre*, *Viens dormir à l'Assemblée*, *L'Arnaqueuse*, *Lily est partie*, *Le Vison voyageur*… Je ne comprenais pas bien pourquoi ma mère déclenchait tous ces rires sur scène alors qu'à la maison elle était pénible et capricieuse. Comme toutes les actrices, elle s'enivrait de ces applaudissements qui ponctuaient ses répliques. Un seul geste, un simple haussement d'épaule, pouvait déclencher l'hilarité de la salle. J'ai dû croiser tout ce que ces pièces, parfois montées à la hâte, ont compté d'acteurs célèbres, d'agents artistiques véreux, de débutantes à la cuisse légère et de jeunes premiers que l'on ne revit jamais, ni vieux ni derniers.

Ma mère avait pour atout de jouer dans le registre comique tout en étant très belle. Cette alliance peu commune fit son succès. Lorsque mes parents ne savaient pas quoi faire de moi durant les week-ends ou les mercredis, on m'emmenait au théâtre où ma mère jouait, sans me demander mon avis. À ces longues heures où je l'écoutais répéter avec ses partenaires devant le metteur en scène, succédaient de longs mois où elle partait en tournée. Ni mon père ni moi ne la revoyions avant que la tournée ne soit finie, elle envoyait des cartes postales.

Il avait rencontré Marie Dava chez des amis, celle-ci l'avait aussitôt convié à sa nouvelle pièce qui s'appelait *L'Arracheur de dents*. Mon père, qui avait peu le sens de l'humour, s'y était rendu malgré tout et avait, selon ses dires, passé la meilleure soirée de sa vie. Que ces deux-là se soient mariés m'est toujours apparu comme une curiosité. Je crois que ma mère avait besoin qu'une partie de sa vie soit solide, le reste étant fait de sunlights, de paillettes et de répliques hilarantes. Le décor et le jeu devaient s'ancrer dans un béton dur et lourd : un mari au métier sérieux, un bel appartement dans le 7e arrondissement, un enfant qui travaillait bien. Jamais elle n'aurait pu faire sa vie avec un autre acteur ou avec un metteur en scène, il lui fallait cet opposé absolu qui la stabilisait et lui permettait ainsi de donner libre cours à toutes ses fantaisies.

Ce sont aux générales et aux couturières que remontent mes premiers souvenirs de Derk. Patient de mon père, celui-ci l'avait fortement impressionné en lui apprenant que Marie Dava était sa femme. Il est vrai que dans son complet-cravate avec sa barbe poivre et sel et ses lunettes d'acier, cela ne sautait pas aux yeux qu'il avait fait sa vie avec l'excentrique actrice de boulevard. Derk adorait le boulevard, tout lui plaisait, de *L'Hôtel du libre-échange* à la pièce la plus potache. Ses soins dentaires lui avaient ouvert les portes des couturières et des générales, parfois même des répétitions. Il ne manquait jamais, en homme du monde, de faire livrer à ma mère de somptueux bouquets. Je revois sa silhouette dans la loge, entre les vêtements féminins et les produits de maquillage. Je ne comprenais pas bien qui il était à l'époque. Je le revois, s'agenouiller à ma hauteur, me regarder derrière ses lunettes d'écaille.

— Je t'ai déjà vu quand tu étais tout petit, mais tu ne t'en souviens pas.

Je n'avais rien répondu, je regardais son crâne chauve comme une planète déserte.

— Réponds, François, avait dit ma mère qui se démaquillait devant les ampoules.

— Non, je ne me souviens pas, avais-je répliqué timidement.

Derk avait hoché la tête sans rien dire.

La pièce s'appelait *Mademoiselle est fiancée*. Un vaudeville traduit d'un autre vaudeville anglais. Une histoire de quiproquos, de portes qui claquent et de rendez-vous galants qui tournaient une fois encore à la farce délirante.

Mon père, lui, me déposait chez le boucher, son copain de régiment. Je dois avouer, après toutes ces années, que je préférais passer l'après-midi chez Denise et René à taper les additions sur la grosse caisse enregistreuse et, plus tard, préparer et parfois même ficeler un rôti sous le regard attentif de René, que d'écouter dans un silence religieux ma mère répéter pour la trentième fois : « Et vous, Caroline, vous n'avez aucune idée de l'endroit où se trouve mon mari ? À croire que cet homme est au bordel ! »

Surtout, René m'apprenait le louchébem, cet argot des bouchers des Halles, sorte de verlan poétique dont les mots se terminaient en « em » et qui faisait ma joie.

Les années passant, le rôle de la séduisante femme un peu fofolle devenant difficile à tenir, ma mère effectua de plus en plus de doublages. Ainsi, on pouvait regarder de célèbres feuilletons américains en retrouvant sa voix dans la bouche d'une héroïne de la côte Ouest. L'impression était étrange. Elle faisait encore des apparitions au théâtre où elle jouait un personnage plus âgé que celui qu'elle interprétait dans la même pièce quinze ans auparavant. Son humeur s'en ressentait. Elle partit au Brésil, pour un feuilleton que lui avait trouvé son agent, une « *Telenovela* », selon le terme exact. Elle apprit le portugais, car le personnage devait le parler avec une pointe d'accent français. Contre toute attente, ce feuilleton jamais diffusé en France obtint dans tout l'hémisphère Sud un succès gigantesque. La première saison achevée, elle fut aussitôt recontactée. On prolongeait son personnage et surtout on lui proposait de s'installer là-bas. Le même mois, mon père mourut d'une rupture d'anévrisme. Il était le seul obstacle à ce que ma mère parte pour l'Amérique latine. Derk venait de me prendre comme secrétaire, elle me recommanda à lui et partit.

Elle y est encore, le feuilleton ne s'est arrêté qu'il y a six ou sept ans. Célèbre là-bas, elle y fait, paraît-il, des interventions au télé-achat, et a prêté son nom à des livres de médecine douce. Elle a aussi épousé un autre chirurgien-dentiste. Brésilien, celui-là. Nous n'avons de contact qu'une ou deux fois par an, le temps d'une carte postale, et surtout plus rien à nous dire. La dernière fois qu'elle vint en France, ce fut pour l'enterrement de Derk. Sur sa tombe, elle jeta une rose fanée, qu'elle conservait d'un bouquet qu'il lui avait offert lors d'une de ses pièces et qui ne l'avait pas quittée. Elle eut aussi une phrase singulière : « Adieu, les secrets. »

Sylvie et moi étions des héritiers. Elle, du savoir de son père, créateur de la mythique Musarde, moi de celui de Derk. Nous n'avions pas construit, nous avions prolongé l'œuvre des autres. D'une certaine façon, ils avaient survécu à travers nous.

Les cartons allaient bientôt s'entasser dans mon bureau. Cette pièce de la maison que je n'avais ni repeinte ni améliorée depuis des années allait regorger de tous mes dossiers personnels liés à la gestion de la mairie. J'avais beau laisser quinze ans de mandature à mon successeur dans les archives municipales, une bonne vingtaine de cartons débarquèrent un matin dans les bras des déménageurs. Je leur demandai de bien vouloir les poser en piles, ainsi se constituèrent en moins d'une demi-heure deux colonnes impressionnantes qui atteignaient presque le plafond. Disposées très symétriquement dans la pièce, elles lui donnaient une sorte de prestance inattendue. Je m'étais placé entre les deux piles, songeant au pauvre Samson, déchu et aveugle, qui avait tendu ses bras puissants de culturiste jusqu'à faire ployer les colonnes du temple et que tout s'écroule. Je joignis le geste à la pensée, écartant les bras à mon tour, comme l'antique colosse. Mes mains touchèrent les cartons. L'envie d'aller au-delà de cette sensation me prit et je les poussai du bout des doigts, la tête pleine de visions de péplums. Les deux piles s'écroulèrent dans un fracas sourd et long : une sorte de cataracte de cartons et de reliures diverses. Je me recroquevillai en me protégeant la tête. Ouvrant les yeux, je contemplai la catastrophe, les cartons étaient éventrés, les dossiers jonchaient le sol. Cette pièce déjà en désordre avait définitivement viré au chaos.

Je posai un mocassin puis l'autre sur les couvertures de chemises marquées Cofidec ou CGT contacts ou encore Crédit Mudinis, Culture, Salon des chasseurs... J'avais le sentiment de me déplacer sur une banquise mouvante et hostile, à la manière des enfants qui ne veulent pas marcher sur les lignes du trottoir, persuadés qu'un puits sans fond les absorbera. Le cadre avec Zidane s'était brisé. Je sautai sur une chemise bleue et contemplai l'un des cartons éventrés. Des photographies de Perisac prises à l'occasion de diverses manifestations jonchaient le sol : fête de la rose, fête du travail, gerbes aux soldats morts pour la patrie, remise de médailles aux diverses confréries de commerçants... Une photo possédait sa propre jaquette blanche, repliée. Je m'assis sur les talons, sans quitter mon îlot de dossiers et tendis la main. Qu'allais-je trouver en l'ouvrant ? Moi, en train de serrer la main des vainqueurs d'une rencontre sportive au FC Perisac ou encore l'inauguration du parking des Baussières ? Peut-être même une vieille photo de Derk en campagne lors de la première élection ?

Le premier rang est assis, le second debout. Des garçons, des filles, tous du même âge et qui regardent dans la même direction. Dix-sept ans, dix-huit ans tout au plus. Le cours Levert en 1977 ou 1978.

Béatrice Bricard.

« Depuis combien de temps ce nom ne m'est pas venu en mémoire ? » me dis-je, en regardant le visage de cette jeune fille blonde à queue-de-cheval.

Et moi ? Où étais-je. Car étrangement, c'étaient les visages des autres que je voyais et non le mien. Me voilà, deuxième rang, troisième en partant de la gauche. Debout, avec un pull-over jacquard, les cheveux impeccablement coiffés, le regard absent. C'était moi ce jeune garçon si mince dont on devinait le pantalon gris et les mocassins derrière les pieds des chaises du premier rang ? J'avais donc vraiment cette tête-là ? Je n'en gardais qu'un souvenir flou. Physiquement, je ne m'étais toujours revu qu'à travers un rideau de pluie qui brouille les contours et éteint les couleurs. Dans ma mémoire, le résultat donnait un tout autre François Heurtevent. Une sorte d'hybride entre le jeune garçon de l'époque et l'homme d'aujourd'hui. Quelqu'un qui n'avait jamais existé ailleurs que dans mon imagination. Pourtant, la photo était là et elle ne mentait pas. J'avais l'air tellement jeune, nous avions tous l'air si jeunes, je ne me rappelais pas à quel point nous avions l'air d'enfants.

Ce garçon aux cheveux frisés qui souriait à l'objectif, assis maladroitement, les jambes à demi écartées, son nom me revenait : Éric Larmier. Et la petite brune aux cheveux bouclés qui fronce les yeux, Audrey Desnois, elle avait des lunettes, elle avait dû les enlever quelques secondes avant la photo d'où ce rictus dans lequel l'objectif l'avait figée à jamais. Je découvrais cette image comme si je ne l'avais jamais vue. Pourtant, bien sûr, je l'avais vue, bien sûr, je la connaissais. À l'époque nous avions dû tous la recevoir et ricaner en regardant nos têtes. Le temps avait fait son travail, à la manière des vagues qui attaquent la roche, l'usent, l'effritent, pour enfin la dissoudre centimètre après centimètre. Année après année, tout cela s'était lentement effacé de ma mémoire. Je n'avais aucun souvenir de cette photo. Elle venait de remonter jusqu'à moi comme un fragment archéologique d'une civilisation disparue dont on ne sait presque plus rien. Cette image était comme une pièce à conviction, une sorte de preuve irréfutable qui corroborait mes souvenirs délavés. Je n'avais pas rêvé ces milliers d'heures de cours dont je serais incapable aujourd'hui de retranscrire une seule minute, je n'avais pas rêvé ces lieux : salles de classe, couloirs, halls, cour de recréation, qui me revenaient maintenant comme des diapositives subliminales. Avec les années, elles n'avaient pas plus de réalité que le souvenir d'un rêve fait il y a bien longtemps.

Je reconnus le visage de notre professeur de philo et son nom me revint aussi facilement que si quelqu'un me le soufflait à l'oreille : mademoiselle Marsille. Elle nous semblait beaucoup plus âgée que nous à l'époque, elle ne devait pas avoir plus de trente-cinq ans. « Mademoiselle Marsille a dépassé soixante ans aujourd'hui », me dis-je, comme en proie à une révélation. Cela semblait impossible et quelque part ça l'était : mademoiselle Marsille avait trente-cinq ans pour l'éternité et des cheveux châtains bouclés qui ne pouvaient avoir viré au gris. Elle portait une chaîne en or autour du cou par-dessus son col roulé. Maintenant cela me revenait, et je m'approchai de la photo pour vérifier. Un cœur en or coupé en sa moitié, comme fendu par un éclair. Avait-elle fait sa vie avec l'homme qui possédait l'autre moitié ? Portait-elle encore ce bijou ? à moins qu'il ne soit depuis longtemps au fond d'un tiroir, qu'elle-même en ait oublié l'existence jusqu'à ce qu'un jour elle fouille le meuble en question et le retrouve.

Dominique Pierson, un grand garçon, beaucoup plus grand que nous autres, avec ses cheveux courts et son regard hautain de mouette en colère. Qu'était-il devenu celui-là ? Delphine Poisson, avec ses lunettes dorées, sa frange blonde et son sourire de « *college girl* » américaine. Avec d'autres, on se demandait si elle ne sortait pas avec Sébastien Beauchy, le blond au second rang avec ses yeux rieurs et ses lunettes de soleil coincées dans sa chemise. Il y avait aussi Clément Jacquier avec ses cheveux mi-longs et son faux air de Bonaparte, il voulait faire du cinéma. Marjorie Levart, Daniel Célac, Cédric Pichon, et celui-ci, dont le visage m'évoquait quelque chose mais dont le nom m'échappait. Cette fille-là aussi, je me souvenais bien de sa silhouette mais son prénom... Sabine ? Valérie ? Nathalie ?... Un nom avec un i.

Je retournai la photo. Derrière la pochette blanche tous les noms et prénoms de mes camarades étaient tapés à la machine. Avec l'année et la classe.

« 1977-78. Terminale A. Mademoiselle F. Marsille. Professeur de philosophie.
Premier rang (assis, de gauche à droite) : Marjorie Levart, Franck Alèsse, Éric Larmier, Béatrice Bricard, Delphine Poisson, Jérôme Auberpie, Daniel Célac, Marie Farnoux, Jean-Marc Lacaze.
Deuxième rang (debout, de gauche à droite) : Cédric Pichon, Aude Gerfon, François Heurtevent, Dominique Pierson, Gilles Dervet, Nathalie Dirand, Audrey Desnois, Pascale Genvrier, Clément Jacquier, Stéphane Crestin, Pierre Lecoq, Jérémie Pedrini, Sébastien Beauchy.
Photographie : Ets. Tourte et Petitin. 53, rue Paul Vaillant-Couturier. 92 300 Levallois-Perret. »

Finalement, j'avais cédé, j'irais consulter. Pas le docteur Houdard, mais le premier médecin venu dont j'avais trouvé le nom sur Internet. Je m'étais levé plus tôt que ces derniers temps pour l'occasion. En attendant de m'y rendre, je pris un petit déjeuner à la terrasse du Rendez-vous de Jean Bart. Un œuf dur dans le soleil et un café au lait. Dans la lumière de cette matinée, quelque chose d'inattendu se produisit : j'aurais dû être malheureux et j'étais heureux, il me semblait que je n'avais pas éprouvé ce sentiment depuis… quand déjà ? Il m'était impossible de le situer dans le temps, mais c'était fort loin. Comme un goût, un parfum que l'on a oublié et qui soudain vous replonge dans d'autres années. Était-ce la découverte de la photo de classe qui, dans la chimie de mon inconscient, produisait déjà ses effets ? La silhouette brumeuse du jeune homme que j'avais été me traversait l'esprit, sans que je puisse vraiment distinguer ses traits, comme un nom que l'on a sur le bout de la langue sans parvenir à l'énoncer clairement. Je retrouvais la pensée apaisante que la vie est somme toute assez simple, qu'elle est devant soi, pleine de rencontres et de hasards. Qu'elle est longue, comme le sont les journées de l'enfance. C'est après que le temps se rétracte. À mon âge, les journées sont déjà plus courtes ; plus ça ira, plus elles passeront vite. Enfant, le temps d'une journée durait un siècle. Entre le petit déjeuner d'avant l'école et le dîner avec les parents, s'était écoulé un océan de temps. Les heures comptaient double, voire triple.

Le goût de l'œuf dur qui se mêlait au café au lait me ramenait curieusement dans le temps indéterminé des souvenirs, de ceux qui sont remplis d'après-midi ensoleillées. Dans la réalité, il est bien possible que le ciel ait été gris. Le baromètre de la mémoire est différent, les bons souvenirs orientent toujours l'aiguille sur « chaud et sec ». Le terme « grandes vacances » me vint à l'esprit, pourtant il n'existait aucun lien entre l'œuf dur-café au lait et mes grandes vacances d'enfant. Je me mis à penser aux analystes qui se plaisent à démonter les mille et un rouages de l'esprit humain. Les associations les plus farfelues révèlent de profonds secrets enfouis dans les strates de la personnalité. Oui, les grandes vacances duraient un temps fou, la fin de l'été paraissait tellement loin lorsque commençaient les beaux jours. Désormais, j'ai à peine le temps de profiter de quelques belles journées de juillet que je me retrouve déjà début septembre.

Il n'y a que les personnes âgées pour voir le temps se dilater à nouveau. Elles se lèvent aux premiers rayons du soleil, ne dorment plus que quatre ou cinq heures par nuit. Un sommeil de ministre pour des journées vides. Voler des heures au temps qui passe est peut-être l'aboutissement de toute vie, me dis-je, en regardant passer cette femme avec sa canne que je distinguais à peine dans le contre-jour du soleil. Son ombre s'étirait à l'infini sur le parvis de l'hôtel de ville.

Je fis signe au garçon de m'apporter un autre œuf.

— Si c'est pas malheureux de voir ça, me fit-il quelques instants plus tard en déposant mon œuf.

Je crus qu'il parlait de mon petit tas de coquilles qui s'était éparpillé sur sa table en faux marbre.

— Avec tout le mal que vous vous êtes donné, se faire remercier de la sorte par la ville... Et l'autre Alphandon qui se les roule dans votre bureau. Les gens sont ingrats, moi je le dis, m'sieur le maire.

Je tentai de lui répondre une phrase apaisante, une de ces phrases sibyllines que les hommes politiques ont en réserve par centaines dans leurs poches, mais il ne m'en donna pas l'occasion. Il continua, péremptoire :

— Parfaitement, ingrats et pas reconnaissants de l'effort des autres, c'est comme je vous le dis. Ça me rappelle ma première place à la brasserie du Renard, je m'en étais donné du mal pour satisfaire la clientèle, eh ben pas six mois après que j'étais entré, ils m'ont remercié les Guichaud, sans raison, sans motif, comme ça et pas autrement. Exactement comme vous, monsieur le maire. Perisac, c'est une immense brasserie du Renard ! C'est ce que j'ai dit à ma femme le soir des élections. Mais c'est qu'on compte sur vous, faudra la reprendre cette bâtisse, me fit-il, tout congestionné. Bien que je sois content de vous servir en terrasse, c'est là-bas que je veux vous voir, moi, c'est vous qui êtes notre maire ! Je voudrais savoir moi où qu'ils sont les deux cent deux cocus qu'ont voté Alphandon !

Je lui tapotais le bras en signe d'amitié.

— Quel est votre prénom ? lui demandai-je.

— Claude.

— Merci de votre soutien, Claude, dis-je, en lui serrant la main.

Je reprenais mes vieux réflexes politiques. Appeler l'électeur par son prénom, cela crée une connivence, la connivence est sœur de la confiance, et la confiance est mère de tous les bulletins de vote.

Il s'éloigna, plateau à l'épaule et bedaine en avant. Sa petite sortie sur les élections m'avait arraché à mes songeries mélancoliques. Le sentiment de quiétude qui m'habitait au début de ce repas frugal s'était comme atténué. Lorsque le soleil profita d'une trouée dans les nuages pour éclairer toutes les terrasses, il revint plus fort encore. Je fermai les yeux, avalai une gorgée de café tiède. L'image qui se proposa à mon esprit fut celle d'une après-midi de juin, durant les épreuves du baccalauréat. Je revoyais avec précision le café où je m'étais installé en sortant de l'épreuve de philo. Un petit bistrot avec un store rouge et blanc. J'avais commandé un café et des œufs durs. Maintenant le souvenir se précisait, comme une photo qui se révèle dans le bain d'une chambre noire. Mon camarade de classe Clément Jacquier passe devant moi avec ses cheveux mi-longs qui le font ressembler à Bonaparte, il a son sac à dos vert pomme avec la bouche des Rolling Stones cousue sur le côté.

— T'as pris quoi toi ? me demande-t-il.

Et je m'entends répondre :

— « Le passé éclaire-t-il le présent ? » Et toi ?

— La phrase de Descartes, mais j'ai pas été très bon sur la fin, j'ai dû confondre un machin entre Kierkegaard et Kant.

Clément Jacquier ne s'intéressait qu'au cinéma et voulait devenir réalisateur. Son idole était François Truffaut dont il avait collé la photo sur son cahier de textes. Longtemps j'ai cherché son nom parmi les sorties en salles à la mention : « un film de ». Aucun Clément Jacquier ne s'était illustré dans le septième art. Qu'était-il devenu ? Mystère le plus complet sur le destin de ces garçons et de ces filles avec lesquels nous passons le plus clair de notre temps durant parfois des années et que nous quittons après un examen ou un concours pour ne plus jamais les revoir. C'est comme s'ils vivaient dans une autre dimension, un espace-temps qui ne nous est pas accessible.

Âge, nom et prénom, maladies enfantines, soucis plus récents. Les questions se succédaient depuis quelques minutes.

— Des fatigues peut-être ? me demanda-t-il comme s'il me les proposait à la vente, ces fatigues : « Et avec ça un petit peu de fatigues ? Oui, vous m'en mettrez une belle botte s'il vous plaît. »

— Je suis un peu las, concédai-je.

— Problème de sommeil à signaler ?

— Je me lève tard...

— Très tard ?

— Tard.

— Manque d'envies... Envie de manger, envies sexuelles, envies quoi...

— J'ai connu mieux, effectivement, répondis-je sèchement.

— Des angoisses aussi ?

« Oui, une botte d'angoisses avec celle de fatigues à faire mijoter dans un court-bouillon de ras-le-bol, une bonne heure avant d'y jeter des rondelles de sommeil. »

— Oui, des angoisses, enfin je ne sais pas trop. Des nostalgies…

Le mot éveilla sa curiosité.

— Pouvez-vous préciser ? me demanda-t-il.

Mon histoire de photo de classe et d'œuf dur à la terrasse avec le souvenir de Clément Jacquier l'intéressa beaucoup.

— Je me souviens que dix ans après mon bac… fit-il en se reculant dans son fauteuil, les yeux soudain dans le vague, nous avions fait une sorte de serment…

Il fixait une vieille suspension en acier brossé des années soixante-dix. Le décor entier de son cabinet n'avait pas bougé depuis Pompidou, ce qui créait un effet assez rassurant ; la modernité n'entrait pas là, et je me disais qu'en sortant je croiserais dans la rue des DS, des Peugeot 204 et des femmes en Courrèges…

— Un serment, disiez-vous.

— Oui… C'était le dernier jour à Lyon. Nous avions écrit nos noms sur une feuille, le petit groupe que nous étions, soit une dizaine sur les vingt-cinq élèves. Nous avions fait le pari de nous retrouver dix ans après, jour pour jour, heure pour heure, devant la porte du lycée, le 11 juin 1973, nous avions passé notre bac en 1963. Entretemps, durant ces dix années, personne n'avait revu qui que ce soit. J'avais presque oublié la date quand j'ai retrouvé mon agenda avec la promesse inscrite dessus. Trois mois plus tard, le 11 juin, à dix-neuf heures, je me suis rendu devant les grilles du lycée… J'étais persuadé que personne ne viendrait, que ce pari de jeunesse avait sombré dans la vie. Dix minutes plus tard, j'ai reconnu Pierre Larnaudy, lui aussi s'était souvenu du serment et était venu à tout hasard... Puis Marie Lelièvre, puis Francis Joincourt... Cela fait longtemps que je n'ai plus prononcé ces noms. Une bonne demi-heure plus tard, nous étions six sur les dix. Nous nous étions souvenus.

— Qu'avez-vous fait ?

— Nous avons pris des verres dans un bistrot du coin. Nous avons beaucoup parlé jusqu'à la fermeture, je me souviens très bien, il faisait très chaud, c'était une belle soirée, se rappelait-il en fixant le mur comme s'il y voyait projetées les diapositives de ces instants de jeunesse.

— Vous vous êtes revus ensuite ?

— J'ai eu quelques nouvelles des uns et des autres pendant deux ou trois ans, puis tout s'est perdu... C'est la vie, conclut-il en reposant les yeux sur moi.

Hormis ces considérations sur les retrouvailles d'anciens, le docteur Francœur m'avait trouvé une phase dépressive légère avec des montées d'angoisse à prévoir. L'anecdote de la photo avait brisé la glace entre nous. Il m'avait bien sûr reconnu depuis le début et m'avait avoué qu'il comprenait bien que ma défaite générât quelques turbulences psychologiques. Toutefois, je ne lui paraissais pas si atteint que ça. Un somnifère, le Stilnox, et un anxiolytique, le Temesta, à ne prendre qu'en cas de besoin, devraient selon lui m'aider à passer ce cap.

— J'ai déjeuné mardi dernier avec mes enfants à La Musarde, me dit-il d'un air complice. Un délice, dites-le lui…

— Je n'y manquerai pas, avais-je conclu.

Le cabinet du médecin se trouvait non loin de La Musarde. J'en profitai pour aller voir Sylvie avant l'heure du déjeuner et la rassurer sur mon état mental. Oui, j'étais dépressif, mais légèrement et ce n'était pas gravissime. Mon sommeil calqué sur celui du chat devrait se stabiliser avec le médicament du médecin. À ce sujet, je ne pouvais pas acheter l'anxiolytique à la pharmacie ; aussitôt la ville entière aurait été au courant. Il faudrait que je prenne ma voiture et que j'aille le chercher à Beaulieu. Je repoussai l'idée aux jours suivants.

Éric, le maître d'hôtel, m'ouvrit la porte et me serra la main.

— Ça fait plaisir de vous voir. Vous déjeunez avec nous ?

— Non, je passe voir Sylvie.

— Elle est aux cuisines sur un essai, je la fais appeler…

— Non, si elle fait un essai, ne la dérangez pas tout de suite.

J'étais mieux placé qu'Éric pour savoir qu'on ne dérangeait pas ma femme en pleine cuisson.

— Un petit apéritif en attendant ? Le kir royal maison ?

— Va pour le kir.

— La table sur le jardin pour monsieur Heurtevent, commanda-t-il à un serveur qui s'empressa de m'y accompagner.

Je bus doucement le kir royal tout en admirant la vue sur le jardin intérieur : la reproduction des plates-bandes à la française, avec des arbustes taillés en boule aux quatre coins, la fontaine de marbre rose et l'enseigne de fer forgé fixée à l'un des murs que le père de Sylvie avait achetée à un antiquaire. « La Musarde », pouvait-on y lire, en lettres de fer noir, agrémentées de têtes de lévriers et de pampres de vigne relevés à la feuille d'or. L'enseigne demeurait une énigme. Bastien Desbruyères ignorait ce qu'elle désignait, tout comme le marchand qui la lui avait vendue. Elle vivait sa deuxième vie, ayant donné son nom au restaurant tout en conservant son mystère. Le père de Sylvie avait ouvert son établissement au début des années soixante dans un ancien relais de poste du XVIIᵉ siècle, en plein cœur de Perisac. Selon la légende, Robespierre y avait, paraît-il, perdu une bague durant la Révolution. L'objet mythique était conservé sous un globe dans une des niches des grands murs de pierre blonde. En moins de quinze ans d'existence, La Musarde avait conquis ses trois macarons au Michelin. Marie Desbruyères, décédée prématurément, n'avait connu que la consécration du second. J'ai toujours pensé que la disparition de sa mère expliquait une partie du caractère sombre et obstiné de ma femme. Homme généreux mais peu causant, son père l'avait élevée seul, dans la religion de la cuisine et l'obsession de la réussite. Le restaurant avait perdu un macaron l'année suivant sa mort. Sylvie, à force d'obstination et de génie, avait réussi, deux années plus tard, à raccrocher le troisième à son nom et il n'était pas question qu'il en bouge. Elle partage ce privilège avec seulement deux autres femmes, Anne-Sophie Pic et Hélène Darroze. Tandis que je pensais à elle, elle s'approcha de moi vêtue de blanc jusqu'aux pieds, une immense cuillère en métal à la main.

— On vient de me dire que tu étais là... fit-elle dans un sourire. Je suis contente que tu passes me voir.

Je lui racontai ma visite chez le médecin, aussi que j'irais en sortant acheter mes somnifères à la pharmacie, j'évoquai l'anxiolytique à aller chercher en dehors de la ville. Elle m'écoutait avec cette même attention que je lui connaissais lorsqu'elle était avec Bocuse ou Pic, retenant tous les noms des ingrédients énumérés. Ici, c'était plutôt Stilnox et Temesta que piment d'Espelette èt vanille.

— C'est bien... C'est très bien, dit-elle, en posant sa main sur la mienne.

Nous nous regardâmes en silence.

— Tiens, tu vas goûter quelque chose. Éric ! Faites apporter notre essai sur la table, François va faire le goûteur.

Éric disparut prestement pour réapparaître entouré de deux aides portant une assiette de porcelaine qui contenait une portion de dorade accompagnée d'une sauce.

— Goûte.

Je coupai un morceau, le mâchai doucement, tentant d'en saisir toute la subtilité. Ma femme, les deux aides et Éric me regardaient inquiets, le menton relevé, attendant mon verdict.

— C'est très bon.

— La question n'est pas là, insista ma femme en levant les yeux au ciel. Quel est le goût ?

— Un goût différent, pas un goût de poisson... Un goût de... forêt ?

— Ah ! triompha-t-elle. Mais encore ?

— Je ne sais pas... C'est déjà bien non ?

— Retournez en cuisine, dit-elle à ses employés.

Aussitôt, les deux aides et Éric s'éloignèrent.

— Est-ce que ça a un goût de noisette ? fit-elle en se rapprochant de moi.

— ... Oui, peut-être.

— Il n'y a pas de peut-être : la réponse est oui ou non.

— Oui.

— Tu mens. Je le vois, je te connais, fit-elle, piquée.

— Je ne suis pas critique gastronomique, Sylvie.

— Non, mais tu connais ma cuisine, ton avis compte.

— Merci.

— François, François, dit-elle dans un soupir, ce n'est pas un compliment. Ce qui compte c'est la noisette, c'est très compliqué cette histoire de noisettes. On les a concassées puis distillées pour en extraire un arôme assez fugace, mais qui doit revenir en bouche. Il est là, dit-elle, désignant la chair blanche, il n'est pas dans la sauce, il est dans le poisson.

— Oui ma chérie, il est dans le poisson, dis-je, à bout d'arguments.

— J'allais oublier. Tu as reçu une enveloppe à ton nom.

Elle se leva et alla fouiller derrière le comptoir pour revenir avec une grande enveloppe en papier kraft.

C'était le petit photographe. Il ne devait pas posséder mon adresse privée et ne pouvait plus m'adresser son courrier à l'hôtel de ville. La Musarde avait dû lui sembler le moyen le plus évident de me joindre. Trois photos en noir et blanc, deux d'entre elles prises jusqu'à la taille et un portrait.

— J'ai l'air triste.

— Non, tu es très beau là-dessus, dit-elle, émue. Qui a fait ça ?

— Guillaume Lux, je l'ai croisé devant les affiches après l'élection.

Sylvie restait silencieuse devant mon portrait les cheveux dans le vent.

— Je peux la garder pour ici ? me demanda-t-elle doucement.

La porte du restaurant s'ouvrit.

— Bonjour, monsieur le maire, dit le maître d'hôtel.

— Qu'est-ce qu'il fait là ? murmurai-je d'une voix blanche en voyant entrer Alphandon en compagnie de trois autres hommes.

— Il a réservé.

— Tu n'as pas du cyanure dans tes bocaux ?

— Je préfère servir un gangster gourmet qu'un prêtre sans palais, disait mon père. Je n'y peux rien, François. Il réserve, je le sers.

Sylvie glissa la photo dans son tablier, salua le maire et disparut vers les cuisines. Alphandon me fit un léger signe de tête et s'installa à table. Je sortis sans l'avoir salué.

J'allais passer plus tôt que prévu à Beaulieu chercher cet anxiolytique.

— J'ai foi en l'avenir, j'ai foi en notre combat et j'ai foi en vous pour les batailles qui nous attendent ! Il est temps pour nous...

Tonnerre d'applaudissements.

— Merci... Il est temps pour nous de tracer notre chemin dans la confiance et l'union...

Le discours du secrétaire résonnait dans ma tête depuis vingt bonnes minutes. J'étais arrivé en retard, serrant quelques mains, puis obligeant une rangée entière du hall sept de la porte de Versailles à se lever pour me laisser rejoindre ma place. Derrière son pupitre et dans la lumière des projecteurs, le secrétaire s'excitait :

— ... D'incarner les espoirs et les vœux de ceux et celles qui nous ont fait confiance et nous ferons encore confiance !...

Tonnerre d'applaudissements.

— ... Nous tenons encore la moitié des villes de France, dit-il d'un air faussement ahuri, comme s'il faisait une découverte. Mais oui, reprit-il, toujours dans la même note, et ça n'est pas rien ! Nous sommes là ! s'emporta-t-il soudainement, et nous serons là ! Qu'on se le dise ! Ensemble ! Ensemble, mes amis, nous allons gagner, étape par étape, les combats de l'avenir. Ceux et celles qui ont vu leurs mairies leur échapper de justesse doivent regarder devant... Et nous sommes à leurs côtés, le parti les soutient comme il les a toujours soutenus.

Applaudissements plus modérés.

— ... Je pense à Catherine Veyrant qui a échoué dans son élection de trois pour cent, mais qui a mené un formidable combat. Je pense à François Heurtevent qui a vu son fief lui échapper avec seulement deux cent deux voix d'écart !

Toute la salle se tourna vers moi. Ces regards courroucés étaient-ils pour les deux cent deux voix ou pour moi ? Qu'est-ce qu'il prenait au secrétaire de me désigner ainsi devant tout le monde ? Lui qui avait été réélu à cinquante-deux pour cent au premier tour.

— François, toi qui es l'un des meilleurs d'entre nous, viens ici, à la tribune, nous donner ton sentiment sur les batailles à mener.

Je me demandai si j'avais bien entendu. Un homme cria : « Heurtevent avec nous ! » Oui, j'avais bien entendu. Il fallait que je me lève devant les centaines de membres du parti et les centaines de militants. Que je leur parle. C'était au-dessus de mes forces, mes jambes pesaient du plomb, mes mocassins s'étaient transformés en chaussures de scaphandrier. Je tentai de faire une petite grimace au secrétaire, bien que nous ne soyons pas très proches l'un de l'autre, peut-être comprendrait-il. Non, il m'attendait. Il gesticulait derrière son pupitre en faisant des grands mouvements de bras.

— Avec François Heurtevent ! Allez François, tu vas venir nous dire à nous tous ce que c'est que le combat, ce que c'est qu'un homme politique. Allez les militants !

Tous se mirent à scander mon nom.

— Dans le vent avec Heurtevent ! glapit une militante, reprenant un livre dont je n'avais pas écrit une ligne et encore moins trouvé le titre.

Le député Bastieri m'obligea à me lever, Évelyne Delmas, la député-maire de Norimont, prit mon bras et l'agita en l'air. Ensuite, les militants s'y mirent en m'applaudissant en cadence. La douleur s'infiltra en moi comme un venin, elle portait le nom de panique. Je voulais rentrer chez moi, me remettre au lit et n'en plus jamais bouger. Même ma femme et ma fille, je ne voulais plus les voir, encore moins avoir à me justifier devant elles. Seul le chat serait autorisé à pénétrer dans ma chambre. On déposerait un plateau-repas midi et soir devant ma porte, je ne bougerais plus jamais de mon lit. Pourtant, je marchais vers la tribune, des visages et des mains se tendaient vers moi comme dans une cour des miracles en costard-cravate. Porté par la foule, j'arrivai face au secrétaire que je dus regarder avec des yeux terrifiés, car il eut un mouvement de recul. Dans un effort surhumain, je m'approchai de lui, je me cramponnai à son épaule et lui murmurai à l'oreille :

— Je ne peux pas parler, j'ai une angine.

Ma voix sortait éteinte, je présentais tous les symptômes de la maladie, ma figure décomposée était un argument pour la fièvre.

— Ah, merde alors, j'aurais pas dû te faire monter, me glissa-t-il avant de se pencher vers le micro.

Il s'adressa à l'assemblée :

— Notre ami est aphone, il ne peut pas nous parler. C'est la campagne ! Il a trop crié ses opinions d'honnête homme, il en a perdu sa voix !

Des applaudissements conclurent l'incident. Je ne sais pas comment, je me retrouvai dans les coulisses avec une jeune fille qui me tendait un verre d'eau sucrée. Mon rythme cardiaque se calmait un peu et j'avalai un Temesta.

— Vous êtes tout blanc, vous voulez que j'appelle un médecin ?

— Non, n'appelez personne, dis-je faiblement. C'est une montée d'angoisse, tentai-je de la rassurer, ce qui sembla plutôt produire l'effet inverse.

La jeune fille s'éloigna non sans me garder à l'œil. Je m'approchai d'une porte de secours entrouverte qui donnait sur l'extérieur et les autres halls du parc des Expositions. *Raisons d'échecs et stratégie d'avenir*. Le tract de notre réunion avec l'emblème du parti traînait déjà au sol.

Henri Veillers, sénateur et maire, me rejoignit. Longiligne avec son teint brique de grand

consommateur de scotch, les cheveux blancs
gominés presque longs dans le cou, il sortit
de son prince de galles une flasque de whisky.

— Vous n'êtes pas plus aphone que moi, me
dit-il avec cette lucidité fulgurante des alcoo-
liques flottants.

Je le regardai sans lui répondre.

— Je vous comprends, poursuivit-il, quelle
comédie tout ça. Je vous admire, le refus, c'est
bien. Moi, je n'ai rien refusé : à ma femme, à
mes enfants, à mes maîtresses... À mes électeurs, si, eux, je leur ai beaucoup refusé.

Il prit une goulée de whisky, puis me tendit
sa flasque que je refusai d'un petit mouvement
de tête. Il ne s'en offusqua pas.

— En définitive, les hommes politiques sont
tous des déçus de quelque chose, continua-t-il,
ou de quelqu'un... d'eux-mêmes je pense. Des
déçus pour ne pas dire des ratés. On se lance
dans la carrière politique car on n'a pas pu
faire autre chose, ni monter un groupe financier formidable, ni créer un journal. Qu'est-ce
qu'un homme politique à côté de Hugh
Hefner ? Un rien du tout, un zéro. La terre
entière continuera de rêver dans les pages de
Playboy qu'on nous aura oubliés. Regardez-les,
me dit-il en désignant la salle, des insectes
qui poussent leur ambition comme ce gros
cloporte sa boulette de déjection, toujours plus
grosse jusqu'à ce qu'elle l'écrase.

— Le bousier...

— Pardon ?

— L'insecte en question, c'est le bousier.

— Oui, peut-être. Les myriades d'œufs que nous pondons sont nos électeurs, ces électeurs dont on croit disposer comme de laquais qu'on sonne, et qui parfois crachent dans la soupe fumante.

Nouvelle goulée de whisky.

Veillers m'entraînait dans son désarroi. Parfois on voit le monde avec les yeux des autres et leur point de vue paraît si vrai que c'en est terrifiant. Je regardais la salle et qu'y voyait-on ? Un monde d'hommes qui parlaient de réunions et de feuilles de route. Une sorte de super-congrès de notaires. Un monde qui parlait bagnoles et informatique, combines et business. Un monde qui n'avait rien d'érotique ; aucun de nous ne serait jamais le rêve d'une jeune fille. La meilleure preuve : nous sommes parfois aussi célèbres que certains acteurs ou chanteurs et pourtant personne, jamais, ne nous demande d'autographe. Ternes, gris, suffisants, aucun physique, aucune conversation. Aucun charisme dans cette assemblée qui sentait le linge propre, la sacoche de cuir et la voiture neuve.

Notre seule capacité de séduction se mesure à l'aune de notre pouvoir, les hommes politiques sont comme ces matières fissiles desquelles on approche un compteur Geiger. Sur certains, il grésillera autant qu'une friteuse surchauffée, sur d'autres il peinera à émettre quelques craquements. Nos radiations ne sont pas constantes, elles connaissent des baisses et des reprises inattendues. Tout cela ne grésillait pas des masses sous le hall sept. C'était triste, maussade ; seule fantaisie : du bleu ou du rouge dans les cravates. Consternant.

Comme s'il m'avait entendu penser tout haut, Veillers tira la conclusion à sa façon :

— Un monde d'incompétents, d'impuissants, de nases, soupira-t-il. Je vous laisse, j'ai deux très belles putes qui m'attendent dans un charmant deux pièces de la rive gauche. Je ne fais plus rien, je suis trop chargé, fit-il en désignant sa flasque d'argent. Je regarde, ça me distrait. C'est tout ce qui me reste. C'est comme une peinture… À un certain stade, l'érotisme flirte avec l'art. Ça devient purement optique.

Je le regardai s'éloigner, démarche élégante et incertaine. Il voulait être écrivain. Il avait publié dans les années soixante un recueil de nouvelles : *Les Cubes*, au style magnifique. Puis, plus rien, la lumière politique avait sonné sa nuit littéraire.

Je m'assis à même le sol lorsque deux chaussures blanches à lacets s'arrêtèrent devant moi.

— François ?

Je levai la tête vers un homme vêtu d'un jean blanc, au visage mince, aux cheveux mi-longs, qui avait un faux air de Bonaparte.

— Tu me reconnais ? ajouta-t-il avant que je réponde quoi que ce soit. Je suis Clément Jacquier, on était ensemble en classe.

— Mais oui, bien sûr, articulai-je.

J'avais presque envie de lui dire que je pensais à lui ces temps-ci, mais je n'en fis rien. Je me levai et lui serrai la main.

Je ne pouvais m'empêcher de scruter son visage comme on regarde une image un peu curieuse dont on n'arrive pas à saisir immédiatement le sens. Le jeu des sept erreurs ? Non, ce n'était pas cela, je regardais simplement le passage du temps sur lui.

Le visage du jeune lycéen se superposait à celui de cet homme souriant. Ils étaient à la fois la même personne et deux individus distincts, à la manière de ces acteurs de cinéma que l'on n'a pas vus depuis longtemps et que l'on retrouve. Ils ont changé, vieilli, ils se sont modifiés par rapport au dernier film où on les a aperçus.

— Tu me regardes bizarrement, si ça se trouve tu ne te souviens pas de moi, dit-il en souriant, légèrement gêné.

Je lui rappelai son sac à dos vert pomme, la bouche des Rolling Stones cousue dessus et la photo de François Truffaut sur son cahier de textes.

— Quelle mémoire, lâcha-t-il, je l'avais complètement oublié, ce sac.

— Pas la photo de Truffaut ?

— Non, Truffaut, non...

— Tu ne fais pas de cinéma, dis-je, regrettant aussitôt ma remarque, car j'allais sûrement le blesser.

Il n'est jamais bon de rappeler aux hommes leurs rêves de jeunesse.

— Si, fit-il dans un large sourire, seulement... pas exactement le cinéma qu'on aurait pu imaginer. Je suis juste à côté de vous, ajouta-t-il en désignant un des halls.

« Eroticaworld, le Salon mondial de l'érotisme », s'étalait en lettres roses. Ses yeux amusés s'étaient teintés d'une lueur à la fois ironique et désolée.

— Eh oui, tu as compris, je fais du cinéma... porno.

— Tu es acteur de porno ? dis-je avec stupeur.

— Non, je suis réalisateur, je suis même assez connu.

Il y eut un silence, puis le sourire revint sur son visage.

— Je suis content de te revoir, je ne sais pas pourquoi, mais ça me fait vraiment plaisir.

— À moi aussi.

— Alors, comme ça, tu as choisi la politique. Je t'ai vu plusieurs fois à la télé.

Oui, « comme ça », j'avais choisi la politique, à moins que ce ne soit elle qui m'ait choisi et récemment répudié comme une maîtresse dont on se lasse. Clément Jacquier me rappela que je n'étais pas du tout politisé à l'époque des bancs de la classe. Il n'avait pas tort. En ce temps-là, je ne m'intéressais pas du tout aux hommes politiques ni à leur carrière. À quoi m'intéressais-je d'ailleurs ? Pas à grand-chose, je ne suivais pas de si près la mode, les codes vestimentaires des autres garçons de mon âge me laissaient froid. Je ne suivais que vaguement la culture musicale, pop, rock, disco… Bien sûr, je connaissais les tubes que nous entendions à la radio et qui parfois passaient dans les émissions dites de variété, mais sans plus. Aujourd'hui, lorsque j'en entends un, cela me replonge dans le passé sans pourtant que cela n'éveille en moi de souvenirs précis, et la plupart du temps, j'en ignore le titre et le nom de l'interprète. Le cinéma n'était pas non plus une passion comme ça l'était pour Jacquier, qui recouvrait ses cahiers de photos d'acteurs et de réalisateurs. L'image de la couverture de son agenda me revint en mémoire : la photo noir et blanc d'un homme au visage dur et au crâne rasé. Il portait une minerve, c'était un militaire. Il avait dû me dire à l'époque de qui il s'agissait, mais je l'avais oublié, et ce n'est que des années plus tard en regardant un soir à la télévision *La Grande Illusion* de Jean Renoir que j'avais retrouvé l'homme à la minerve : Erich von Stroheim.

Il savait, lui, ce qu'il voulait faire, il nous le disait : « Je serai metteur en scène de cinéma. » Il paraissait en avoir les moyens et toutes les armes. Mais voilà, la vie est ainsi faite que, parfois, malgré tout le talent, la compétence et la bonne volonté que l'on a en soi, il y a certains ponts-levis qui refusent de s'abaisser et l'on reste devant la muraille. D'abord à crier pour que quelqu'un vous entende, puis on ne crie plus, on se lasse, on quitte la muraille et le château dans lequel décidément personne ne vous attend. On entre dans la forêt.

C'était assurément ce qu'avait fait cet étrange garçon qui, à la fin des années soixante-dix, rêvait devant le visage d'un acteur que seuls ses grands-parents avaient pu connaître. Peut-être qu'un jour toute cette culture et ces rêves d'un autre temps avaient été trop lourds à porter. Il avait déposé le bagage, fait table rase de tout ce qui avait été son jardin secret et se refusait de devenir un grand parc public ouvert au flot des spectateurs. Il avait sûrement tenté sa chance dans le cinéma dit « traditionnel », avait dû noircir des pages de scénarios et proposer des histoires à des producteurs oublieux et des comités de lecture peu motivés. Oui, sûrement avait-il avancé sans boussole, dans la nuit et la pluie, hors des chemins balisés et des sentiers de promenade, comprenant peu à peu que les films qu'il portait en lui ne seraient jamais projetés ailleurs que dans sa tête. Dans ce territoire des chemins errants et des directions incertaines, un jour, un sentier un peu plus praticable que les autres avait dû le mener à la clairière des films interdits aux moins de dix-huit ans.

Moi, je ne m'étais jamais égaré dans la forêt, je n'avais jamais crié devant aucune muraille. Je m'étais retrouvé là par hasard, le pont-levis s'était abaissé et j'avais accompagné le grand seigneur Derk dans le château, en vassal soumis que j'étais. Le pont-levis s'était relevé et je n'en étais plus jamais sorti. Ce garçon-là avait une flamme qui brûlait en lui. Ce n'était pas mon cas. L'avenir, j'y allais les mains dans les poches, quand Jacquier partait à l'aventure avec des sacs chargés de livres sur le septième art, des répliques plein la tête et le visage d'Erich von Stroheim sur son agenda. Contrairement à lui, je n'attendais pas mon futur de pied ferme avec mille projets, non, je patientais comme ces voyageurs silencieux, en transit dans les salles d'embarquement des aéroports, ceux à qui on ne parle jamais, dont on ne sait rien et dont on oubliera le visage sitôt l'avion atterri et les bagages récupérés. De nous deux, qui s'en était le mieux sorti ? J'étais bien en peine d'émettre une opinion là-dessus.

— Tu viens prendre un café sur mon stand ?

J'avais hésité un instant, une sorte de pudeur m'avait saisi : François Heurtevent au Salon du film porno ? Et si quelqu'un me reconnaissait, de quoi aurais-je l'air ? J'avais finalement écarté cette question : si quelqu'un me reconnaissait, il serait un visiteur tout comme moi et cela remettrait les compteurs à zéro. Bien sûr les instances du parti pouvaient me chercher, toutefois mon extinction de voix justifierait mon départ discret.

Tandis que nous nous dirigions vers l'entrée du grand hall, un jeune homme en survêtement portant une perche et une sorte de gros magnétophone sur le ventre salua mon ami d'un clin d'œil accompagné d'un :

— On se voit tout à l'heure, François.

— Passe sur mon stand, la production sera là, répondit Clément.

— Il t'a appelé François, dis-je.

— Oui, c'est mon pseudo, François Truffix.

— Pardon ?

— François Truffix, en hommage à Truffaut avec le « X » des films X. Tu sais, dans le porno, on a souvent des pseudonymes calqués sur les grands réalisateurs. Il y a Stan Lubrick, pour Stanley Kubrick, Fred Coppula, pour Francis Ford Coppola. Tiens regarde, lui, c'est Cecil Baiz 2000.

Il me désigna un homme en blouson blanc et casquette américaine rouge qui fumait une cigarette.

— C'est une plaisanterie ?

— Pas du tout. D'ailleurs on va aller le voir.

— Salut François, j'attends Gwendy pour le show, mais je ne sais pas où elle est passée cette conne, nous dit-il en tirant sur sa cigarette.

— Je te présente François Heurtevent, un de mes copains de classe. N'est-ce pas que tu t'appelles Cecil Baiz 2000 ?

— Oui, c'est mon nom de guerre, mais vous pouvez m'appeler Claude, me dit-il en me serrant la main. Ah, enfin ! Ça fait deux heures que je t'attends pour les réglages.

Je me retournai vers une immense fille blonde, juchée sur des patins à roulettes. Elle portait une minijupe rose fluo et un minuscule débardeur doré dont dépassait une poitrine à l'évidence refaite.

— Ouais, je sais, répliqua-t-elle en mâchouillant un chewing-gum, mais je voulais voir Cynthia, on ne se croise plus jamais depuis qu'elle est chez Private. C'est vous mon partenaire ?

— Mais non, reprit Clément. François c'est mon copain de classe, il ne va pas tourner avec toi.

— Dommage, vous êtes chou. Ça vous va bien ce costard, fit-elle en tirant sur ma cravate Gucci. Moi, j'aime bien les mecs vachement classes, au look de banquiers ou d'hommes politiques, le côté Wall Street. Mon mec ça lui va pas les costards-cravates, il a l'air d'un clown avec. Il ne porte que des tee-shirts et des pantalons baggies, vous ça vous irait pas les baggies.

— Non, effectivement, je ne crois pas que cela m'irait, dis-je sans pouvoir détacher mon regard de ses ongles peints avec du vernis à paillettes, qui se décidèrent enfin à lâcher ma cravate.

La conversation s'arrêta là car Cecil Baiz 2000 voulait régler son show, et la dénommée Gwendy l'avait suffisamment fait attendre. Tous les deux nous précédèrent vers l'intérieur et je les perdis de vue dans les allées.

— Bienvenue dans mon monde, me souhaita Jacquier en me souriant.

Je sentais qu'il avait envie d'accompagner sa phrase d'une bourrade dans le dos, mais qu'il n'osait pas.

Le monde de Clément Jacquier... Des allées et des travées, des stands, des vendeurs et des badauds comme on en voit au Salon de l'automobile ou de l'agriculture, sauf qu'ici on ne vendait pas de soupapes ni de crème fraîche mais toute la panoplie de l'érotisme commercial. Mon regard accrochait à la volée des jaquettes de DVD aux titres sans ambiguïté, des photos porno, des sex toys par dizaines aux formes et aux couleurs les plus invraisemblables, des calendriers, des posters de filles et d'hommes à demi nus. Tout ce petit monde, derrière ces stands, faisait l'article. Je saisissais des phrases : « Il vibre avec douceur », « C'est la prochaine star... », « On peut vous filmer à domicile », « Voici notre site ».

À l'angle d'une allée, une foule était massée et des flashs d'appareils numériques recouvraient de brefs éclairs une belle brune, très maquillée elle aussi. Elle dédicaçait une pile de DVD sous la statue colorée d'un toucan géant, emblème du stand.

— C'est Mila Fievra, me dit Jaquier. Une Italienne qui marche très bien chez Dorcel en ce moment.

Qui étaient ces hommes attroupés autour d'elle, un DVD à la main, qui ne la quittaient pas des yeux ? Des maniaques ? D'ignobles pervers qui, toute honte bue, se montraient à visage découvert dans ce salon, en train de se faire dédicacer un film ? J'avais toujours associé les films porno à des clients qui, certainement, les regardaient en cachette et n'auraient jamais avoué même sous la torture qu'ils étaient amateurs du genre. Rien de cela ici. Bien sûr, certains hommes qui attendaient leur dédicace avaient quelque chose de louche dans leurs yeux trop fixes, mais ils étaient loin d'être la majorité. La plupart étaient « normaux ». Demander une dédicace à une actrice de films porno était amusant, ne révélait en rien une sexualité dépravée ou, pire encore, inexistante. Il y avait même un couple d'une trentaine d'années qui se tenait par la main. C'était leur tour.

— On adore vos films, lui déclara la jeune femme.

— Merci c'est gentil, vous êtes trop mignons, répondit Mila Fievra dans un sourire qui devait assurément sa blancheur aux produits fluorés.

Autour d'elle d'autres visiteurs s'étaient saisis de leur téléphone portable et la prenaient en photo. Elle se leva de son siège pour faire la bise au couple, laissant un homme d'une quarantaine d'années lui tendre à son tour le DVD.

— Oh, c'est le plus beau jour de ma vie ! s'exclama-t-il avec émotion.

— Je te la présenterai si tu veux, me proposa Jacquier en m'entraînant vers une autre allée, c'est une chouette fille. Elle a une histoire familiale compliquée, le porno, pour l'instant, ça la sauve de mauvais plans.

— J'imagine, répondis-je, sans trop vouloir songer aux mauvais plans de Mila Fievra, qui devaient relever du cocktail mère alcoolique, père qui battait celle-ci, fugue à quatorze ans et autres drames de ce genre. Elles doivent toutes avoir un passé difficile, poursuivis-je tout en passant devant une immense affiche mauve avec inscrit en lettres blanches : « *Les Salopes à la plage*, porno-vintage, le charme des années soixante-dix en DVD ».

— Ne crois pas ça, ce ne sont pas toutes des victimes d'incestes et autres traumas. Il y en a plein qui font ça pour l'argent et pour s'amuser. Gwendy, en patins à roulettes, est vendeuse de lingerie dans un grand magasin en province. Rien d'une Cosette, ses parents ont une agence de voyages, elle a deux frères, la famille s'entend bien. Rien à signaler.

— Ils savent qu'elle fait ça ?

— Oui.

— Et ça ne les gêne pas ?

— Non, ou alors ils ne disent rien. Elle est majeure...

J'imaginais Amélie nous annonçant qu'elle tournait des films X et moi de répondre en chœur avec Sylvie : « Mais quelle idée originale, ma chérie, fais donc ce qu'il te plaît, tu as dix-huit ans. »

Impensable, même en rêve.

Le stand de mon camarade était de dimension modeste. Trois grandes tables posées à touche-touche, des écrans vidéo diffusant des bandes-annonces de films et quelques calicots au logo de « Cléopatra Films Production » qui représentaient la reine d'égypte nue, enlacée par le dieu à tête de faucon dont le nom m'échappait, suffisaient au décor. Sur la plus petite table, une jeune fille en body et nuisette proposait des sex toys, les deux autres tables étaient consacrées à la production vidéo avec un impressionnant catalogue. Il y avait les films de François Truffix mais aussi d'autres réalisateurs. Clément regrettait que je ne sois pas passé la veille, car leur actrice star était en dédicace, aujourd'hui c'était plus calme, selon lui. Nous prîmes un café dans une thermos.

— Qu'est-ce qu'elles deviennent toutes ces filles ? demandai-je à Jacquier en désignant les jaquettes des films.

— Oh, tu sais, elles quittent le métier, se marient et elles ont des enfants pour la plupart, rien de plus. Bon, elles épousent rarement des experts-comptables, mais plutôt des photographes, des patrons de boîte ou des musiciens.

— Et toi ?

— Je me suis marié avec la fille de mon producteur, elle n'est pas dans le porno du tout, elle a fondé une boîte de communication pour la mode, Fashion-Flash. On a un garçon de sept ans qui s'appelle Alexandre. C'est le prénom du personnage de Jean-Pierre Léaud dans *La Maman et la putain*, ajouta-t-il. Et toi ?

— Je suis marié depuis vingt ans, j'ai une fille de dix-huit ans. Amélie. Ma femme est chef, trois étoiles au Michelin.

— Tu dois bien manger...

Je hochai la tête en songeant à la dorade à la noisette et, surtout, à Sylvie si elle me voyait là. Mon regard glissait sur les dizaines de DVD, j'en pris un au hasard où le nom de mon camarade s'étirait en lettres rouges : *Stretching fucking III*. Je le retournai pour en lire le résumé : « Jenny croit être à un rendez-vous chez son masseur, elle ne sait pas que d'autres moyens vont être utilisés pour la vider de son stress. »

— Non, non, laisse ça. C'est pas bon, c'est une commande. Voilà mon chef-d'œuvre, me dit-il fièrement en me tendant un autre boîtier : *La Fille sur la péniche*.

Jacquier me fit l'article de son film, entièrement tourné en décors naturels. Un petit bijou avec Vali Valou et Peter Dorso.

— J'ai refait des plans de *L'Atalante* de Jean Vigo, me précisa-t-il. Tiens, je te le donne, et ça aussi, poursuivit-il en sortant d'un carton un gros livre à la couverture noire barrée d'un grand X rose : *Clément Jacquier, la vingt-quatrième lettre, préface de José Bénazéraf*. Ici personne n'en veut, ajouta-t-il, c'est trop théorique, trop littéraire. C'est un essai sur la pornographie.

— Tu as revu d'autres personnes de la classe ? lui demandai-je.

— Non. Jamais de nouvelles, à part Pedrini qui est en taule.

— Pedrini est en taule ?

— Oui, Pedrini, Jérémie Pedrini, c'est le grand banditisme. Il s'est fait coffrer il y a deux ans, c'était dans les journaux. C'est comme ça que je l'ai su, dit-il en vidant son café.

— Je suis passé à côté.

— Déjà le père était dans les bars et les casinos, poursuivit-il en tapotant un écran de télévision qui venait de s'éteindre.

— Tu te souviens de Delphine Poisson ? demanda-t-il soudain.

— Oui.

Je crus un instant qu'il allait m'annoncer qu'elle avait tourné avec lui, mais non, le nom lui était revenu comme ça.

— Elle sortait avec Sébastien Beauchy, tu te souviens ?

Oui, je me souvenais. Nous évoquâmes des noms qui nous revenaient à l'esprit comme une sorte de jeu : Cédric Pichon, Marjorie Levart, Gilles Dervet, Jérôme Auberpie... Ce qui amusait Clément, c'était que peut-être d'anciennes connaissances voyaient ses films et que jamais ils ne sauraient qu'il en était le réalisateur.

— Tu te rends compte, peut-être que Gilles Dervet se relève la nuit pour regarder mes films !

Clément avait entrepris de réparer le téléviseur qui ne diffusait maintenant plus que quelques râles étouffés et aucune image. La recherche d'un câble adéquat le fit disparaître sous la table. J'en profitai pour lire le texte sur la jaquette de son chef-d'œuvre : « Voici les quatre cents coups de la belle Peggy Sage. Dans la chaleur de l'été, son père, l'armateur, lui a laissé sa péniche en bord de Marne. Léo, son fiancé, l'a délaissée pour faire un tour du monde. Seule à bord, elle s'ennuie mais fait bien vite des rencontres : marins de passage, postier, couples de touristes, promeneuses vont assouvir ses ardeurs le temps d'étreintes passionnées. » En dessous, les appréciations élogieuses de la presse spécialisée : « Un film romantique et hardcore, peut-être le chef-d'œuvre de François Truffix », *Hot Vidéo*. « Le digne héritier du grand Michel Ricaud », *Sexmag*. « Vali Valou au sommet de son art », *Starix*.

— Roxana, offre des trucs à mon copain pendant que je cherche ce foutu câble.

Roxana, la fille en nuisette et body, se tourna vers moi et me demanda avec la grâce des vendeuses de parfum ce que je souhaiterais : un godemiché, des flacons de poppers ou un œuf vibrant ? À moins que ce tout nouveau gadget en forme de fleur ne me séduise. Je déclinai poliment l'offre, mais Clément s'en offusqua : que je reparte au moins avec un œuf vibrant. Roxana me fit la démonstration, elle sortit de son emballage rose fluo un œuf du même rose, en tout point semblable à un œuf de poule écaillé. Il suffisait d'une petite pression sur la base et il se mettait à vibrer, une seconde pression, il vibrait plus fort, une troisième, il s'arrêtait et redevenait souple et mou.

— Un jeu très ludique pour les couples, m'assura-t-elle d'une voix haut perchée.

Roxana voulait devenir coiffeuse, pour l'instant elle était shampouineuse. J'acceptai le royal cadeau et le glissai dans ma poche. Clément avait enfin trouvé son câble, mais l'image ne revenait pas, seul le son montait et descendait au gré de la télécommande. Des cris de jouissance, peut-être bien simulés, sortaient du haut-parleur. Je feuilletai distraitement le catalogue des actrices sous contrat avec Cléopatra Films Production. Des blondes, des brunes, certaines très belles, d'autres quelconques. Au hasard des photos, je trouvai celle de Roxana, ma vendeuse d'œufs vibrants. Ainsi dans la famille Cléopatra, elle était aussi un peu actrice et avait tourné dans *Les Jeunes Amatrices ont chaud l'hiver, saison VI*.

C'était donc cela le monde du porno. Un monde toc de chic filles paumées et d'anciens étudiants en cinéma, reconvertis dans la niche la plus confidentielle du septième art. Un monde de manucures blasées et de shampouineuses nymphomanes qui jouaient à la star hollywoodienne le temps que durerait leur éphémère carrière. Une bulle. Je glissai mes mains dans mes poches et mes doigts tombèrent sur l'emballage de l'œuf qui vibra aussitôt. Cela devenait de plus en plus déconcertant d'être là, et je me demandai si je n'allais pas me réveiller dans mon lit en entendant Archipattes faire ses griffes. Mais non, c'était bien réel. Je venais de retrouver le premier des visages de la photo de classe.

J'avais décliné l'invitation de Clément à déjeuner, le laissant sur son stand avec Roxana, dans les DVD de charme et les accessoires à plaisir. Il m'avait donné sa carte et moi la mienne. Échange de bons procédés : la reine d'égypte enlacée contre l'emblème du parti. En nous serrant la main, nous nous étions promis de nous revoir sans trop y croire l'un et l'autre. Surtout moi d'ailleurs, car je ne suis pas certain qu'il pensait cela impossible, dans son monde où les jolies filles se déshabillent à volonté et où les œufs vibrent. Je fis juste un passage au vestiaire afin de récupérer ma sacoche et mon manteau. Des débats avec les militants étaient organisés dans l'après-midi, ils auraient lieu sans moi.

Tout en m'approchant de la station de métro, je notai que mon portable n'avait pas sonné tandis que j'étais avec Clément. Personne ne cherchait à me joindre, ni au parti, ni même chez moi. Mon absence suscitait l'indifférence la plus totale. En ce début d'après-midi, je me retrouvai soudainement livré à moi-même, sans but, ni horaires précis, avec mon œuf vibrant dans la poche et mon DVD porno dans le sac en plastique noir que j'avais fourré dans ma mallette. Cela ne m'angoissait pas plus que ça, j'étais même étonnamment indifférent au cours que pouvaient prendre les événements. Peut-être était-ce un des effets du Temesta ?

La station de taxi était vide, des yeux j'en cherchai un dans le flot des voitures mais je n'en vis aucun. Porte de Versailles, sur le grand plan affiché à l'entrée du métro, je tentai de me resituer. En bas à gauche, la ligne verte, en prenant la direction de la porte de la Chapelle, changement Concorde, je pouvais rejoindre la porte Maillot et le Concorde Lafayette où nous étions logés pour vingt-quatre heures. J'y serais peut-être encore plus rapidement qu'avec le taxi que l'on m'avait commandé ce matin. Désormais, je comprenais la question du chauffeur :

— Y'a des belles choses en ce moment porte de Versailles ? m'avait-il lancé avec ironie.

— Je n'en sais rien, je vais à un congrès, avais-je répondu, sans m'étendre sur la nature du congrès.

Il avait souri d'un air entendu. Il avait dû trouver que j'avais une tête à me rendre au Salon de l'érotisme.

— B'jour madame, monsieur, s'cusez de déranch' pour la musique.

Un Roumain ou un Serbe, avec une veste en cuir fauve et des chaussures en croco-dile. Peut-être était-ce du faux, bien qu'à ma connaissance, on n'ait jamais fabriqué de chaussures en faux crocodile. Le son de l'accordéon dérangeait quelques voyageurs, en distrayait une poignée, la plupart d'entre eux étaient parfaitement indifférents. *La Vie en rose*, *Milord* et *Mon amant de Saint-Jean* se succédèrent jusqu'à Montparnasse-Bienvenüe. Les chaussures en crocodile s'éloignèrent avec l'accordéon pour la quête, empochant deux euros dans le wagon. Un euro d'une anglaise en transit avec sa valise à roulettes, et le mien. Ils étaient des milliers en France à survivre ainsi à la marge, avec des identités flottantes et des boulots interchangeables, parfois complètement exploités. Tout ce petit monde fonctionnait dans la semi-légalité, la misère acceptée.

À Sèvres-Babylone, deux jeunes hommes en costume-cravate rentrèrent et s'assirent en face de moi ; ils continuaient leur discussion.

— En volume de marché c'est très bénéfique pour la structure, affirmait l'un d'eux, un type très laid avec des lunettes à montures de métal et un unique sourcil.

L'autre, un blond aux cheveux en brosse, acquiesçait, il avait l'air pleinement d'accord.

— Ça peut être un accélérateur pour ta boîte, poursuivit unique sourcil, quelques instants plus tard.

Le blond acquiesçait toujours, cette fois en dodelinant de la tête.

— On est une petite structure, fit-il dans une moue désabusée.

— En termes de volumétrie ? reprit le moche.

L'autre n'avait plus trop l'air de savoir si c'était de la volumétrie ou autre chose.

— Quoi qu'il en soit, ça peut être un accélérateur, je le sais, je l'ai vu avec la Sogec.

— Y a eu des retombées ? tenta le blond.

Le moche gonfla ses joues en haussant son unique sourcil, il accompagna la grimace d'un mouvement de la main plus qu'éloquent, signifiant par là que les retombées avaient été phénoménales, que lui-même en était encore bluffé.

Je ne saurais jamais en quoi consistait ce si fabuleux accélérateur que tous les chefs d'entreprise devraient se procurer au plus vite auprès d'unique sourcil. Je comprenais surtout que Clément n'avait pas voulu de cette vie-là et avait préféré faire la sienne au milieu des DVD et des filles nues.

« Un monde d'incompétents, d'impuissants, de nases », Veillers avait raison et sa définition ne s'appliquait pas qu'à la politique.

À la station Assemblée nationale, je sortis.

Il pleuvait sur le boulevard Saint-Germain et je m'abritai devant le café Le Concorde pour finalement m'y installer, protégé par l'auvent en toile. Je commandai un rhum, avant de changer l'instant d'après pour un Malibu. L'envie de la liqueur transparente au goût de noix de coco m'avait brusquement traversé l'esprit. Tandis que je savourais ma première gorgée, je vis un gros homme en complet gris passer devant moi, il courait à travers les gouttes de l'averse, avec d'épais dossiers sous le bras. Je le suivis du regard, assurément il se dirigeait vers l'Assemblée ou l'un des bureaux alentours. J'en avais croisé beaucoup de ce style-là durant les vingt-cinq dernières années. Toujours soufflants quand ils n'étaient pas suants, le regard affolé et le front soucieux. Les gros hommes des allées du pouvoir, les sous-fifres soumis, quelque part entre la bête de somme et le forçat du porte-plume. À l'époque où j'étais devenu l'attaché parlementaire de Derk, j'en avais un comme ça sous mes ordres, Calfandieu, André Calfandieu. Je lui donnais mille corvées à faire qu'il exécutait sans jamais broncher. Je m'étais souvent demandé à quoi ressemblait la vie d'un André Calfandieu. Je l'imaginais solitaire dans un microscopique appartement kafkaïen encombré de dossiers administratifs, jusqu'au jour où je lui avais posé la question. Il était marié, et avait cinq enfants. Il était aussi président du Club français des maquettistes navals, ces amateurs qui passent des milliers d'heures à monter des modèles réduits de bateaux. J'avais tout faux, le gros homme maussade que je côtoyais avait une vie bien remplie en dehors des horaires de l'Assemblée. C'est ce jour-là, je crois, que je me suis un peu plus intéressé à la politique. Les gens avaient des vies et nous en étions les gardiens, c'était à ce genre de sentences que je croyais.

La pluie avait cessé et le soleil éclairait la chaussée trempée. Une femme s'arrêta sur le trottoir, puis deux hommes. Tous les trois avaient la tête tournée vers le ciel. Je me penchai, car ce qu'ils regardaient m'était caché par l'auvent.

— Incroyable, non ? me dit la femme en se retournant vers moi.

Déjà d'autres piétons s'arrêtaient, soudain immobiles, les yeux vers les nuages.

L'arc-en-ciel qui s'était formé était d'une couleur parfaitement inhabituelle : bleu foncé, presque bleu marine. Je n'avais jamais vu cela. Je me levai de ma chaise, bientôt rejoint par le garçon de café qui en oubliait ses commandes.

La couleur virait au violet foncé puis à l'indigo. Des touristes, bien mieux équipés que les Parisiens, avaient sorti leurs caméscopes et les pointaient vers les nuages. D'autres, plus téméraires tentaient la photo à l'aide de leur téléphone portable. L'arc-en-ciel serait minuscule sur un écran grand comme un timbre fiscal, c'était absurde, mais ça avait l'air de leur plaire. Je me déplaçai de quelques pas, les yeux dans le ciel, quand le garçon vint me réclamer de payer mon Malibu. Je retournai à la table, vidai mon verre cul sec et déposai l'appoint avant de m'éloigner en me retournant régulièrement vers le ciel, comme on surveille quelqu'un qui vous suit.

Rue Aristide-Briand, il se dédoubla, un second arc bleu plus clair apparut puis tout disparut très vite. Je restai les yeux fixes, jusqu'à ce qu'il ait complètement disparu. Le ciel était redevenu bleu, comme si rien n'avait eu lieu. Certaines croyances populaires prétendent que les phénomènes climatiques hors du commun annoncent des bouleversements et même des guerres. Ainsi, l'aurore boréale du début de l'année 1938 qui fut visible dans toute la partie nord de l'Europe fut souvent considérée comme l'annonce de la Seconde Guerre mondiale. Le plus intrigant dans cette croyance était qu'une aurore boréale en tout point similaire avait eu lieu en 1913. Peu porté sur la magie divinatoire, je me demandai malgré tout ce qu'annonçait l'arc-en-ciel bleu. Le gros homme aux dossiers me tira de ma rêverie, il passa à côté de moi en manquant de me busculer. Cette fois, il portait une sacoche de cuir marron et tenait son portable contre son oreille. Il s'éloigna vers le passage clouté du boulevard Saint-Germain. À n'en pas douter, il n'avait rien vu de ces minutes magiques. Les André Calfandieu n'ont pas le temps pour les arcs-en-ciel bleus.

À l'angle de la place du Palais-Bourbon, je remarquai que la boutique de l'Assemblée nationale regorgeait toujours de trouvailles en tout genre. Jean-Louis Debré avait lancé cette enseigne à la manière d'un commerçant plein d'enthousiasme et d'imagination. Les stylos et trousses au logo de l'Assemblée avaient été supplantés par des chaises taille enfant portant l'inscription « Futur député », des gommes en forme de cocarde, des mugs « Assemblée nationale », des sabliers tricolores, des maniques sur lesquelles était écrit « gauche » et « droite ». Des boutons de manchettes sur le même principe étaient posés sur une serviette de bain « Assemblée nationale », le tout surplombé de deux poubelles « Projets rejetés » remplies de boulettes de papiers bleu blanc et rouge que les vendeuses avaient dû froisser elles-mêmes pour décorer leur jolie vitrine. Finalement, le Salon Eroticaworld et la Chambre des députés s'inscrivaient dans la même logique de communication : le fun. Rendre ludique et attractif ce qui ne l'était pas. Le côté aride des textes de loi, celui louche des films porno, devenait soudainement plein d'humour et bon enfant et pouvait, le cas échéant, déclencher les vocations.

Mes pas me menèrent au début de la rue de Bourgogne. La présence de l'immeuble Chaban-Delmas à un jet de pierre de là me mit mal à l'aise. Le 101 rue de l'Université, la caserne de luxe des députés en séjour à Paris. Bien que le mot luxe soit excessif : un petit bureau, un canapé-lit qui se replie et un placard ouvrant sur un cabinet de toilettes. Minuscule pied-à-terre à disposition des députés durant les cinq ans de leur mandature. J'en avais passé des heures à relire des dossiers dans ces quelques mètres carrés que j'avais obtenus avec vue sur le jardin. Dix ans durant, j'avais été l'unique propriétaire de cette chambre de bonne à tout faire de la République. Un sentiment d'effroi m'avait étreint quand j'avais dû débarrasser mes affaires dans des grands sacs que m'avait prêtés la conciergerie. Cela ressemblait à la quille militaire mais inversée. Là où le départ est un soulagement dans l'univers temporaire du service aux armées, ma quille de l'Assemblée prit l'allure d'un chemin de croix. Comme à l'armée, tout était parfaitement organisé, avec feuille de route à faire tamponner service après service, placard à vider et matériel d'état à rendre. À l'hôtel Chaban, comme l'appelaient les anciens, dix ans de ma vie s'étaient résumés ce jour-là à trois sacs plastique blancs marqués « République française ». Ceux-là, ils ne les vendaient pas dans la jolie boutique. J'y avais glissé dans le désordre mes carnets, mes affaires de toilette, mes objets, mes photos, mes vêtements. Avant d'aller à l'Assemblée vider mon casier.

Là aussi les mêmes sacs blancs m'attendaient. Le peigne que je conservais pour les jours de grand vent s'était coincé dans le bloc des fiches d'astreinte, cette permanence que l'on doit effectuer un week-end par mois dans la capitale. J'avais beau éplucher tous mes agendas, secouer mes cartables vides devant les huissiers, le peigne refusait d'apparaître. C'était parfaitement dérisoire, ce peigne, je pouvais acheter son jumeau dans n'importe quelle pharmacie, mais c'était devenu obsessionnel. Je ne partirais pas de l'Assemblée en y laissant mon peigne. Je me revoyais, pathétique, me mettant à crier devant des huissiers d'un flegme qu'auraient pu leur envier les *Horse Guards* britanniques, que non, je ne partirais pas sans mon peigne et qu'on me l'avait peut-être volé, ce peigne. Je jetai de rage les clefs de mon casier par terre et je les piétinai.

— On va chercher votre peigne, monsieur le député, avait fini par dire un des huissiers après quelques secondes de silence.

Je m'étais assis par terre sur les trois sacs blancs que j'avais mis en tas à la manière d'un pouf de salon. Je me revoyais, fixant les veines du parquet Versailles de la salle, me disant que j'étais tombé bien bas.

— Monsieur... Ce ne serait pas ça ?

Oui, bien sûr c'était ça, ils avaient retrouvé le peigne en moins d'une minute et pourtant j'avais ouvert le registre d'astreinte plus de quinze fois. Ce peigne invisible relevait de toute évidence de l'acte manqué défini par Freud. Je ne le trouvais pas car je ne voulais pas le trouver. Je ne voulais pas le trouver car je ne voulais pas partir. Mon départ tenait à un cheveu, si j'ose dire, et tant que ce peigne demeurerait introuvable, je resterais dans les murs de l'Assemblée, d'où cette dérisoire menace : je ne partirais pas sans ce peigne. Maintenant que je l'avais récupéré, plus rien ne s'opposait à ce que je charge mes sacs blancs et que je sorte par la petite porte de la place du Palais-Bourbon.

Ses collègues s'étant éloignés, le plus âgé des huissiers m'avait tapé dans le dos.

— Ça va aller, m'avait-il encouragé, vous n'êtes pas le premier. Tous les cinq ans, il y a des drames, j'en ai même vu qui pleuraient, avait-il tenté de me rassurer. Tenez, moi qui vais partir en retraite à la fin de l'année, je ne suis pas sûr de ne pas verser une larme. J'y ai passé toute ma vie dans cette baraque, avait-il ajouté pour lui-même, en regardant les murs. Tout un palais rien qu'à moi, vous ne croyez pas que je vais étouffer dans mon petit pavillon de Champigny ?

— Si, sûrement, avais-je répondu à mi-voix.

— Je vais m'occuper de mes salades. On a un potager collectif en bord de route, et vous, qu'est-ce que vous allez faire de beau ?

— Moi... Je vais peigner la girafe, avais-je répondu dans un sourire sarcastique.

— Que non ! avait-il répliqué en me tendant le bras pour m'aider à me relever de mes sacs blancs. Vous avez encore votre mairie !

Maintenant, je ne l'avais plus. Rien ne s'opposait à ce que je peigne la girafe. J'avais déjà bien commencé.

En cette après-midi, les références capillaires me poursuivaient. Rue de Bourgogne, je me retrouvai devant le salon de coiffure Caro, avec son vitrail dessiné par Piem dans les années Giscard. On pouvait y voir un coiffeur qui tient un miroir devant la nuque de son client, dont le reflet ne présente pas le dos du monsieur mais le visage de Marianne. Tout le surréalisme potache du dessinateur du *Petit rapporteur*. Mes pas ne m'avaient pas mené là par hasard, et je n'avais pas choisi la station de métro Assemblée nationale innocemment non plus. Je revenais dans le quartier de mon passé, vers le 23 rue de Bourgogne, plus précisément.

« Appartement est un bien grand mot. C'est une sorte de garçonnière. » J'entendais encore la voix de Derk et cette réponse toute faite lorsqu'on le complimentait sur son adresse et son décor. Bien plus loin, dans le 16ᵉ arrondissement, il y avait un immense appartement que le maître de maison avait déserté et une femme qui n'attendait plus depuis longtemps un mari qui ne venait que trop rarement. L'adresse d'André Dercours, celle des rendez-vous de bibliophiles avec Mitterrand et des transactions officieuses avec les hommes de tous bords, était le 23 rue de Bourgogne. Sur le trottoir d'en face, le restaurant Le Club des poètes, où nous n'allions jamais, servait surtout à une blague, lorsqu'une négociation devenait difficile : « Nous ne sommes pas au club des poètes, le Club des poètes, c'est en face ! »

« Je tiens beaucoup à cette collection, c'est, je le pense, une des plus belles de Paris », disait-il également devant un mur entier du

104

salon sur lequel étaient disposées, dans une savante géométrie, des assiettes dites « à la girafe ». Rares dans la porcelaine, ces assiettes peintes dans les années 1826-1830 présentaient la girafe de Charles X. Elle avait été offerte par le pacha d'égypte au roi de France et avait fait l'admiration de ses sujets. Une des assiettes la présentait dans le bateau qui l'avait amenée jusqu'à Marseille, la tête sortant de la cale, à côté du gouvernail. « Je suis au roi », pouvait-on lire dans une bulle semblable à celles des bandes dessinées. D'assiette en assiette, l'animal prenait les formes les plus diverses, son cou n'était jamais de la même longueur et son pelage présentait des variantes tout droit sorties de l'imagination des artistes. Dans notre monde, il est bien difficile d'imaginer qu'une girafe ait pu susciter un tel engouement.

De temps à autre, des antiquaires étaient reçus au 23, ils apportaient une assiette. Commençaient alors d'âpres négociations. Derk, le compte-fils sous l'œil, inspectait tous les détails de l'objet à propos duquel, au cours des années, il avait acquis une science qui équivalait celle des professionnels et parfois la dépassait. En quelques rares occasions, je fus témoin d'un entretien qui s'achevait par :

— Elle n'est pas bonne.

— Comment cela elle n'est pas bonne ? faisait alors l'antiquaire, j'en connais la provenance.

— C'est une copie…

Et Derk de se lancer dans une démonstration du jaune du pelage qui n'était pas conforme aux pigments en usage à l'époque.

À la mort de Derk, sa fille américaine, qu'il avait eue d'un premier mariage avec une riche héritière, avait empilé les assiettes et les avait emmenées. Elle ne savait pas si elle les garderait ou si elle les vendrait. Je lui avais laissé mes coordonnées en lui demandant de me tenir au courant de sa décision. Jamais elle ne m'avait rappelé, tout s'était perdu dans les sables, entre la côte Ouest où résidait son mari et cette France trop lointaine où elle ne venait quasiment jamais. Qu'étaient devenues les assiettes de Derk ? Les rares que j'avais aperçues dans les vitrines des marchands n'étaient pas les siennes. Je les connaissais par cœur.

Les marches de l'escalier défilaient. J'irais jusqu'au cinquième, comme avant, comme autrefois. En les montant j'avais l'impression de remonter les années. Rien n'avait changé dans ce décor immuable des anciens immeubles parisiens. J'avais vingt-quatre ans à nouveau, j'allais sonner et Derk m'ouvrirait la porte, songeai-je. Le temps était comme aboli et cela me procurait un frisson qui n'était pas loin de la nausée. J'étais à la fois heureux et en même temps j'avais le cœur serré car je savais que je me mentais à moi-même. Je ne devrais pas faire cela, me dis-je, on ne doit pas jouer ainsi avec ses nerfs. Qu'allais-je faire devant sa porte ? Rester planté sur le palier, me souvenir que j'avais quarante-huit ans et que la porte ne s'ouvrirait pas. D'ailleurs je n'avais rien à faire à cette adresse. Si quelqu'un sortait d'un des étages et me demandait de justifier ma présence, je serais bien en mal de lui répondre. Mais personne ne sortit et j'arrivai sur le palier du cinquième un peu essoufflé. Dorénavant, rien ne pourrait se produire, vraiment rien. La seule question était de savoir si j'y resterais dix secondes, ou cinq minutes. Rien n'avait changé, la sonnette dorée, le vitrail sur la droite dont les reflets colorés les jours de grand soleil allaient mourir sur le bois clair de la porte. Je fis un pas et posai le doigt sur la sonnette pour que l'illusion soit parfaite jusqu'au bout, après je partirais.

Je sentis le petit bouton de laiton sous mon doigt. Que risquais-je à prolonger cet instant encore quelques secondes ? Rien. Je dirais que je m'étais trompé d'immeuble. Je sonnai. Le bruit résonna, identique à celui de mon souvenir. J'entendis des pas sur le parquet de l'entrée, la porte allait s'ouvrir sur un visage étonné. « Je suis désolé, j'ai dû me tromper d'adresse. » J'avais la phrase toute faite. La porte s'ouvrit brusquement sur un jeune homme en complet bleu marine et chemise blanche.

— Bonjour, vous êtes en avance ! Mais ce n'est pas grave, me rassura-t-il en me tendant la main.

Je serrai cette main en le regardant fixement.

— Oui, je suis un peu en avance, arrivai-je à articuler.

Non, je n'étais pas en avance, j'avais juste vingt ans de retard.

L'entrée était repeinte en blanc tout comme le salon. Les tentures de tissu couleur tabac qui recouvraient tous les murs de l'appartement avaient disparu. Une modernité froide avait envahi les pièces, comme un rouleau compresseur qui aurait broyé toute trace du passé. Seuls les volumes et la disposition n'avaient pas bougé. Aucun mur abattu, aucune cloison posée, cela rajoutait encore au sentiment que j'éprouvais à me trouver en ces lieux. Ils étaient identiques et à la fois différents. Imprécis comme le sont les topographies des rêves et des cauchemars. Une illusion d'optique faisait se superposer dans mon esprit le décor ancien à celui que j'avais sous les yeux. Comme sous l'emprise d'un alcool trop fort, je voyais double et tout me revenait avec une précision surréelle, comme s'il s'agissait d'une ultime fois, un dernier souvenir lancé par ces murs comme un sos.

— Je termine avec ces personnes et je suis à vous, m'informa le jeune homme en complet bleu marine.

Je vis un couple apparaître dans l'embrasure de la porte qui donnait autrefois sur le bureau de Derk.

— Alors ? leur lança l'agent immobilier, puisque de toute évidence c'en était un.

— Nous avons besoin de réfléchir un peu. De toute façon nous ne serons là qu'en octobre.

Ils étaient américains et le verbe réfléchir, sous leur accent, devenait « Wéfléchir ».

— Mais bien sûr, bien sûr... répliqua l'agent immobilier, avec le sourire de celui qui rate une occasion mais fait tout de même bonne figure. Vous savez où me joindre, poursuivit-il avant de donner des précisions sur un site Internet où les clients pourraient bientôt consulter de nouvelles offres et de nouvelles images.

Je m'éloignai dans les pièces, je n'avais pas besoin de guide pour me déplacer, mais tout comme les visiteurs qui n'avaient jamais mis les pieds au cinquième étage, j'allais de découverte en découverte. Ainsi le bureau avait été reconverti en un second salon, les lourds rideaux rouges et leurs cordons noirs remplacés par des stores vénitiens ultramodernes et électrifiés. À la place du bureau Louis XV trônait un canapé gris, dans une sorte de toile de jute, face à une table basse en bois brut avec des bougies. Un décor Ikea de luxe. La chambre qui autrefois croulait sous les étagères paraissait bien plus grande. Plus rien au mur, si ce n'étaient des photos noir et blanc de Paris par Brassaï ou Doisneau, encadrées par des baguettes d'acier brossé. Les luminaires aussi avaient disparu, le lustre de Murano avait cédé sa place à une large coupe, également en acier brossé, qui diffusait une lumière blanche, brute. C'était cela le plus intrigant : hormis l'effacement complet du décor, la lumière avait totalement changé. Autrefois, à moins que ce ne soit que dans mes souvenirs, l'appartement avait toujours baigné dans un clair-obscur, chaud et rassurant. Désormais, tout était limpide, net, sans ambiguïté. Blanc et lumineux, un éclairage de salle de bains.

— Vous avez commencé la visite ?

Je me retournai vers l'agent immobilier.

— Oui, répondis-je doucement par pure politesse.

— Comme vous pouvez le constater, les volumes sont appréciables.

« Appréciables », ce langage de brochure. Je retournai dans le salon et n'écoutai plus son baratin. Des mots cependant me parvenaient comme ceux que l'on arrive à capter d'une fréquence radio qui émet de très loin : luminosité… fonctionnalité…

Disparue la console de marbre blanc avec son vase Lalique, sur laquelle nous posions le courrier du jour. À la place un écran Apple blanc et un clavier relié au Net. Disparu aussi le secrétaire Louis XVI, remplacé par un meuble high-tech dont j'imaginais que l'usage avait trait aux CD ou autres DVD. Un immense écran plasma avait pris place sur le mur principal. « Haute définition… » prononçait maintenant l'agent en faisant jouer les chaînes à l'aide de la télécommande. On voyait un match de tennis, et moi je repensais à la collection d'assiettes à la girafe. C'était là que les vingt-cinq ou trente assiettes de Derk s'étalaient sur le tissu mural.

— Je vous montre la salle de bains.

Là aussi les mots fonctionnalité, modernité et luminosité revinrent dans sa bouche. Des carreaux blancs et noirs recouvraient la pièce du sol au plafond. Seul vestige de l'ancien temps, la baignoire à pieds de lion, qui avait été repeinte de noir sur les côtés. Aux murs, toujours ces photos de Paris, cette fois la Seine et les bassins des Tuileries. De l'ancienne cuisine, là non plus, rien ne restait. Tandis que je songeais au vieux percolateur bancal avec lequel je faisais le café, je m'approchai des fenêtres, la vue au moins n'aurait pas changé et le temps d'un instant je pourrais me croire revenu dans l'ancien décor, sur ce petit balcon où parfois, en ce temps-là, je fumais une cigarette.

— Une vue de charme sur Sainte-Clotilde, s'empressa de me dire l'agent. Nous fonctionnons toujours sur le même principe : trimestriel ou mensuel, renouvelable ou pas, selon les disponibilités du planning et les souhaits du client.

— Il s'agit d'une location ?

— Oui, me répondit-il surpris, vous pensiez visiter pour un achat ?

— Non... Je croyais qu'il y avait une possibilité d'achat, dis-je un peu distraitement pour dissiper ses doutes.

— Non, ici il ne s'agit que de location, nos clients sont souvent des touristes assez fortunés, qui séjournent un peu longtemps dans la capitale et souhaitent allier l'intimité d'un chez soi et la possibilité de déjeuner ou dîner à l'extérieur ou encore de recevoir des amis. Il est vrai que nous sommes à deux pas...

Je n'écoutai pas la suite, je savais mieux que lui où menaient les deux pas en question, dans quelque direction qu'on les fasse. Le parquet était identique, on avait dû toutefois le poncer et le cirer avec une machine car il n'était pas aussi brillant dans mon souvenir.

— C'était l'appartement d'André Dercours, dis-je.

Je l'avais coupé dans l'une de ses démonstrations sur une quelconque fonctionnalité.

— Pardon ?

— C'était l'appartement d'André Dercours, l'homme politique... André Dercours.

— Euh... J'avoue que je ne connais pas les précédents propriétaires, fit-il, pris de court.

— C'est sa fille qui loue ? lui demandai-je. Éliane Dercours ?

— Je ne peux pas vous donner le nom du propriétaire.

— Aucune importance. Donc, il est libre ? fis-je en avançant de quelques pas dans la nouvelle luminosité du salon.

— Oui.

— Loyer, charges ?

— Trois mille deux cents euros par mois, charges comprises.

— Je le prends.

L'arrivée à l'agence fut le sujet d'un léger quiproquo. Non, je ne m'appelais pas monsieur Corso. Je n'étais pas le rendez-vous prévu. Mais alors que faisais-je là, à cet instant précis, devant la porte du cinquième étage ? Je sentis que le jeune agent immobilier était soudainement rempli de doutes. Il devait craindre Dieu sait quelle bévue que lui reprocherait amèrement son supérieur, sans pouvoir toutefois comprendre la nature exacte de son erreur.

— Je vais revenir, monsieur, s'excusa-t-il avant de s'éclipser dans un bureau protégé par de larges vitres fumées.

J'attendis sur un fauteuil de cuir noir, un beau modèle de mobilier de bureau. Tout en me balançant, je regardais les photos placées dans des présentoirs de plexiglas. Décidément, tout se vendait, du « grand pied-à-terre », puisque c'est ainsi qu'il définissait l'appartement de Derk, jusqu'à « l'hôtel particulier » capable d'abriter en ses murs une véritable ambassade. Il était impossible que tous ces gens vendent dans la joie et le profit. Quelque chose de plus sombre flottait au-dessus de chaque annonce, une grande dépression financière qui amenait les classes moyennes aisées à se séparer de leur appartement, de leur maison, du lieu qui avait été le leur pendant peut-être plusieurs générations. Ils effectuaient ces transactions à la manière du homard qui abandonne sa pince en combat sous-marin pour préserver sa vie. La pince repousserait, elle mettrait longtemps et serait plus petite, mais c'était bien de ça dont il s'agissait, d'un sacrifice.

Impossible de quitter sans états d'âme ce magnifique appartement des quais de Seine dont la décoration avait été chinée chez les plus grands antiquaires de la rive gauche durant au moins deux générations, c'était évident sur la photo. Ces gens allaient empocher un sacré paquet de billets, mais après ? Jamais ils ne retourneraient plus sur les quais. On vend toujours ce qu'on n'aurait plus les moyens de se payer. Un effondrement était palpable à travers toutes ces photos, ces surfaces, ces cotes et ces mots sirupeux : de charme, exceptionnel, de prestige... L'odeur de l'argent s'en dégageait comme un puissant ammoniac qui brûlerait les muqueuses. L'agence immobilière était la dernière douane avant l'exil des anciens propriétaires. L'ouverture sur un monde où les riches étaient de plus en plus riches, les pauvres de plus en plus pauvres et où les classes intermédiaires de la bourgeoisie, telles les grandes civilisations, se fanaient et mouraient. En fait, cette agence m'apparaissait comme un fleuriste de luxe qui ne vendrait que des bouquets fanés dans de l'eau croupie.

Fané, le château en Sologne, la belle demeure à Noirmoutier, ou l'appartement « de prestige » sur les quais. Fané celui de Derk, malgré son écran plasma et ses murs immaculés. Un grand cimetière des familles et des générations. Plus encore que des biens immobiliers, c'était une autre époque qu'ils vendaient. Un autre monde. Celui des hommes qui aimaient les vieux livres.

Le visage d'un homme d'une cinquantaine d'années aux cheveux poivre et sel vint se coller contre la glace fumée. Il fit un mouvement de tête à l'attention du jeune agent immobilier qui se tenait à ses côtés. De toute évidence, j'étais le sujet de la conversation. Il sortit aussitôt, me souriant d'un air complice et me tendant la main.

— Franck Houdriette, je vous en prie, venez avec moi dans mon bureau, me proposa-t-il chaleureusement.

Je me levai et le suivis. Le jeune homme s'effaça devant nous. Je remarquai que les vitres de l'intérieur avaient la teinte dorée et délavée des vitres fumées. Bizarrement il avait inversé le procédé des vitres qui vous protègent du regard des autres : ainsi on pouvait le voir de l'agence, mais on ne pouvait plus voir l'agence de son bureau. Ce n'était pas idiot, cela créait une intimité peut-être propice à la signature des contrats. Je me demandai si l'idée était de lui ou s'il l'avait piquée lors d'un de ces séminaires pour entrepreneurs en mal de trouvailles.

Il s'assit dans son fauteuil et je notai que son ventre rond était bien cintré dans un complet gris impeccable. C'était curieux, ce ventre, car cet homme possédait plutôt une silhouette svelte. Les repas d'affaires ont parfois de drôles de répercussions physiques. Peut-être aussi n'avait-il pas de femme pour l'obliger à un régime. Sylvie m'a toujours poursuivi de remarques acides et très efficaces, je dois en convenir, à la moindre apparition de ce que les magazines nomment pudiquement « de l'estomac ». Je dois à ma femme une partie de ma silhouette mince, tout comme Archipattes lui doit la sienne et son pelage impeccablement brossé deux fois par semaine.

— Je n'ai pas tout suivi de l'explication de mon jeune collègue. Visiblement il y a une confusion de rendez-vous, mais peu importe... Vous êtes François Heurtevent, me fit-il avec un large sourire, guettant ma réaction.

Je lui rendis son sourire un peu bêtement. Il sortit son portefeuille d'un geste théâtral. L'espace d'un instant, j'eus l'impression qu'il allait me donner une image ou un bon point comme le faisaient les maîtres d'école de l'ancien temps. Mais non, j'aurais dû m'en douter, il déposa devant moi la carte plastifiée du parti, avec son nom et notre emblème. Il hochait la tête, très satisfait de son tour, me faisant par là comprendre que nous étions de connivence, en territoire ami. Tout cela était d'une vulgarité qui me fit envier les discrets signes de reconnaissance des francs-maçons.

— Moi j'aime le parti, et moi, j'aime bien François Heurtevent, continua-t-il avec le même sourire.

— C'est gentil, rétorquai-je sobrement afin de modérer ses ardeurs.

Je connaissais ce genre de personnage : dans moins de dix minutes, il allait me parler de ses projets. Il enchaînerait sur ses ambitions, politiques forcément et, sans s'en apercevoir, il m'expliquerait qu'il pourrait être aussi bon que moi, que l'avenir c'était sûrement lui et pas moi, et si je voulais bien lui dérouler le tapis rouge du parti et lui recopier mon carnet d'adresses professionnel, ce serait un grand service que je rendrais à la nation. Des bouffons dans son genre, j'en avais déjà entendu pérorer des centaines.

— C'est vrai, c'était l'appartement d'André Dercours, me fit-il soudain.

Certainement avait-il anticipé que je n'aurais pas beaucoup d'écoute pour ses idées d'avenir. Il tentait de me prendre par les sentiments.

— Ah… André Dercours, on ne fera plus d'hommes comme lui, ajouta-t-il en me regardant droit dans les yeux.

— Je le dis souvent.

— Vous avez dû connaître cet appartement…

Il évita le : « Et vous voulez le louer, je me demande bien pourquoi ? »

Mon silence sembla lui rappeler qu'il y avait un contrat en jeu et qu'il serait temps de s'y mettre.

L'affaire fut conclue en moins de dix minutes. Je récupérai les clefs, un passe Vigik, et le contrat de location pour trois mois. Il me souhaita une bonne installation dans les lieux, me rappela qu'il était à ma disposition. Pas un mot sur les scores du parti aux dernières élections. Tout de même, en me raccompagnant sur le seuil, il sortit discrètement sa carte de visite et me la glissa dans la main.

— Si vous avez besoin de quelqu'un au parti, je suis là, et je suis un homme compétent, j'espère que vous n'en doutez pas.

— Je n'en doute pas, je verrai ce que je peux faire.

Cette fausse promesse éclaira son visage d'un large sourire que je ne savais attribuer à la reconnaissance ou à l'autosatisfaction.

Il faut toujours dire aux gens ce qu'ils veulent entendre. Plus généralement, il faut toujours être d'accord avec eux, car ce que veulent les gens, c'est que l'on soit « d'accord ». Lorsqu'on ne l'est pas, c'est là que ça se complique. Et tandis que je retournais vers la rue de Bourgogne, la voix de dentier de Derk me revint à l'esprit : « Eh bien moi, messieurs, je regrette… mais je ne suis pas d'accord ! » Vieux renard.

— Pardon ?

— Je suis dans l'appartement de Derk. Je l'ai loué pour trois mois.

Le silence qui suivit ne fit qu'augmenter le sentiment de malaise. Que pouvait comprendre ma femme lorsque moi-même je ne saisissais pas tout de ma démarche.

— Tu as loué l'appartement de Derk ? La rue de Bourgogne ?

— Oui.

— Pourquoi ?

— C'est une sorte de hasard.

— Une sorte de hasard... Tu sais que tu n'es pas bien en ce moment, François.

— Peut-être, dis-je lâchement.

— Tu comptes passer l'été rue de Bourgogne ?

— Non.

Nouveau silence.

— Je viens te voir demain, nous devons parler.

— Si tu viens, peux-tu m'apporter la photo de classe qui est posée sur mon bureau, c'est une photo ancienne...

— Je sais, je l'ai vue, me coupa ma femme. Que veux-tu en faire ? Je peux le savoir ?

— J'ai croisé Clément Jacquier, un des garçons de la photo.

— Une sorte de hasard, aussi ?

— Oui… C'est ça.

— Et ?

— Et… Je me demande ce que sont devenus les autres.

— C'est tout ce que tu as à me dire ?

— Non, l'appartement a beaucoup changé, c'est assez bizarre de se retrouver là.

Silence à nouveau. J'imaginais ma femme hochant lentement la tête à l'autre bout du fil. Je raccrochai le téléphone en lui conseillant de ne pas trop s'inquiéter pour moi. Après tout il ne s'agissait que d'une location et d'une petite escale dans le passé. Tout cela était certes « bizarre », mais en définitive assez inoffensif, me convainquis-je, tout en constatant que j'avais laissé ma valise au Concorde Lafayette. Elle contenait des vêtements pour quarante-huit heures et ma trousse de toilette. Tout ce qui était important, je l'avais dans mon attaché-case. Je décidai de sortir et d'aller jusqu'au Bon Marché afin de remplacer ce que j'abandonnais au service d'étage de l'hôtel. C'était comme un soulagement d'abandonner cette valise, comme ces montgolfières qui lâchent du lest.

Des hommes hésitants devant des rangées de cravates et des femmes dont les talons se déplaçaient rapidement sur le marbre du sol.

Le rez-de-chaussée du Bon Marché grouillait de monde. Je m'étais souvent demandé comment les grands magasins pouvaient être ainsi bondés du matin au soir, tous les jours. En pleine après-midi de semaine, les gens étaient pourtant censés se trouver sur leur lieu de travail. En toute logique, il n'aurait dû y avoir là que des femmes au foyer et des retraités, pourtant tel n'était pas le cas. Au rayon Yves Saint-Laurent, devant la profusion de complets gris, bleus ou noirs, j'ignorais lequel choisir et surtout je ne me souvenais plus de mes mensurations. Cinquante-deux centimètres pour les épaules, mais la taille ? Depuis bien longtemps ma femme m'accompagnait pour ce genre de courses.

— On peut vous renseigner ?

— Oui, on peut... répondis-je à un jeune homme bronzé aux cheveux gominés. J'ai perdu ma valise à l'aéroport. J'ai besoin de racheter un ou deux costumes, des chemises, bref tout ce qui va avec.

— Parfait, me dit-il dans un grand sourire.

J'ignorais pourquoi je lui avais servi cette histoire de valise perdue. Mais cela me semblait bien pour débuter ce périple. S'il fallait que je rachète de quoi m'installer, même provisoirement, rue de Bourgogne, j'étais dans le magasin pour un bout de temps.

— Vous êtes mince, il vous faut quelque chose de cintré.

En moins d'une demi-heure, Marco, le jeune homme gominé, avait refait ma silhouette. Il n'était pas faux que je paraissais plus élancé dans la glace.

— Regardez ça, on dirait Cary Grant, vous auriez les cheveux plus court ce serait parfait.

— Vous croyez ?

Il hocha énergiquement la tête.

Chemises, caleçons, petite maroquinerie pour une ceinture, chaussettes, nécessaire de toilette, le « monsieur qui a perdu sa valise à l'aéroport » fut ainsi présenté de stand en stand. Ça me détendait de parler chiffons comme ça. Je goûtais les plaisirs de la futilité, du shopping, je me faisais conseiller par des filles qui dépassaient à peine l'âge de la mienne.

— Et en parfum ?

Leila avait raison, mon parfum Cacharel, lui aussi, était resté dans la valise à l'aéroport.

— J'ai un Cacharel homme, je ne sais plus le nom, mais je reconnaîtrais la bouteille.

— On l'a sûrement. Mais si vous voulez, on en profite pour essayer d'autres parfums, me proposa-t-elle tout excitée.

— Ah oui, on a toute une gamme, renchérit Jessica.

Elles avaient décidé de s'amuser avec moi comme avec une poupée d'un mètre quatre-vingt-cinq que l'on habille et que l'on parfume. Elles vaporisaient des petits papiers rectangulaires, comme des marque-pages de livres et se les échangeaient, me consultant à peine.

— Non, non, non, ça c'est pas pour lui, c'est un parfum de blond.

122

— Et ça ?

— Pas mal... Moi je le verrais bien avec Dior homme.

Je ressortis, vêtu et parfumé. C'était cela qui me surprenait le plus : le parfum qui avait changé. Dans la lumière de l'après-midi, les bras chargés de sacs estampillés de marques célèbres, je retournai dans ce chez moi qui n'en méritait pas vraiment le nom. Je n'avais jamais fait cela de ma vie et ces heures passées au Bon Marché m'apparaissaient comme un immense défi que j'avais relevé brillamment. Une sorte de victoire. Je ne pouvais non plus m'empêcher de penser que l'anxiolytique du docteur Francœur était quelque peu responsable de ce qui venait de se produire depuis la porte de Versailles. Je me trouvais dans un état flottant et tous les événements glissaient sur moi comme l'eau sur les plumes d'un canard.

LA FILLE SUR LA PÉNICHE
UN FILM DE
FRANÇOIS TRUFFIX

Le générique commençait, j'avais installé
le DVD dans le lecteur du salon. Je n'ignorais
pas que ce que je venais de faire était parfaitement incohérent. J'aurais dû m'exprimer
devant le parti, participer aux débats avec
les militants, revenir dans ma chambre du
Concorde Lafayette et prendre mon train. Au
lieu de cela, j'avais fait une escapade au Salon
de l'érotisme, m'étais fait offrir DVD et gadgets
et je finissais la journée en louant un appartement dont je n'avais nul besoin si ce n'était
dans mes souvenirs. Une heure à me plon-
ger dans les délires érotiques de la fille sur la
péniche m'aiderait peut-être à y voir plus clair.
Vali Valou… Peter Dorso… Kassandra… Joe
Sandler… Firmine Cachou… Les noms s'inscrivaient en calligraphie rose sur un fond de
berges ensoleillées. Je découvris Vali Valou,

une belle brune aux yeux clairs. Vêtue d'une robe en vichy, elle marchait nonchalamment le long d'un cours d'eau. Un type blond, torse nu sous une salopette en jean, se tenait debout une canne à pêche à la main.

« Ça mord ?

— Pas des masses... et il fait chaud, répondait-il en se passant la main dans les cheveux.

— Vous voulez vous rafraîchir ? J'ai des bouteilles au frigidaire, lui proposait-elle, espiègle. »

Le dialogue déclencha chez moi l'envie de boire un verre et me fit tourner les yeux vers la cuisine. Je venais de faire le plus gros shopping de ma vie, mais à la différence de Vali Valou, je n'avais rien à boire au frais. Je mis le DVD sur « pause ».

Dans la cuisine, un panneau très utile avait été placé à l'intention des locataires de passage. On pouvait y trouver diverses coordonnées : un médecin, les pompiers, les épiceries locales, un pressing, quelques restaurants, les bateaux-mouches, le Samu. Un nom me fit sourire : « L'épicerie nationale ». C'était là que nous commandions de quoi nous restaurer ou boire un verre d'alcool, les soirs où le travail s'était étiré au-delà des horaires des commerçants. Toujours du gin Gordon's et quelques citrons verts que l'on mélangeait à du sucre, la boisson favorite de Derk. Le mélange se nomme « Gimlet », il avait découvert ça avec sa première femme aux États-Unis.

— Épicerie nationale, j'écoute...

— Vous faites toujours des livraisons dans le quartier ?

— Oui.

— Je voudrais une bouteille de gin Gordon's pour le 23 rue de Bourgogne, cinquième étage. Et aussi du sucre en poudre avec un citron vert, si vous avez ça.

Ma demande fut suivie d'un long silence.

— Monsieur François ?

— Mahmoud ?

— Vous êtes revenu monsieur François ?

— Oui, c'est ça… Je suis revenu Mahmoud. Il y a un code…

— Je connais les codes de tous les immeubles de la rue ! J'arrive.

Je fis disparaître la pochette du DVD et éteignis l'écran de peur qu'il ne se déclenche tout seul. Mahmoud arriva essoufflé mais tellement heureux de me voir qu'il me donna l'accolade. Moi aussi j'étais heureux de revoir un visage ami. Maintenant, il avait les cheveux blancs. Il m'avait connu durant les presque dix années que j'avais passées à venir régulièrement dans l'appartement, parfois même à y dormir sur le canapé lorsque Derk était en déplacement et que j'avais des papiers de l'Assemblée ou de la mairie à y classer.

— Si monsieur Dercours voyait ça, son beau décor ! s'exclama Mahmoud en pénétrant dans le salon. Il n'y a plus rien… plus rien… Mais qu'est-ce que vous faites là, monsieur François ?

— Je ne sais pas trop. Je suis de passage. Vous voulez prendre un verre avec moi ?

— Pas d'alcool, j'ai apporté un Coca-Cola pour trinquer, me dit-il en sortant une cannette de sa poche.

Je me préparais le Gimlet, tandis qu'il continuait son petit tour dans les pièces.

— Tous les vieux livres qui étaient là... Et les rideaux rouges... Et le joli lustre en verre... Ah la, la, heureusement qu'il n'a pas vu ça, gémissait-il.

Dans les dernières années, Mahmoud venait régulièrement chez Derk apporter de quoi faire un casse-croûte, une soupe, ou encore des légumes. Il avait aussi effectué quelques petits travaux d'électricité et de plomberie. Nous trinquâmes, Coca-Cola contre gin citron vert, au temps passé et aux souvenirs. Tout comme moi, il n'était pas revenu dans l'appartement depuis 1991, l'année de la mort de Derk. Et jamais personne ne l'avait appelé pour une livraison. Les touristes ne téléphonaient pas pour ce genre de chose, d'après lui ils descendaient pour acheter ce dont ils avaient besoin et remontaient ensuite. L'épicerie se trouvait juste en face à quelques dizaines de mètres sur le trottoir. Il n'y avait que les « vrais » habitants du quartier pour se faire livrer.

— Là, c'était les assiettes à la girafe, me dit-il en désignant le mur et l'écran plasma.

— Oui, vous vous souvenez bien.

— Bien sûr, la girafe du roi, c'est Méhémet Ali, le pacha d'égypte, qui l'avait offerte aux Français, me dit-il fièrement.

Mahmoud m'apprit que la dernière fois qu'il avait vu les assiettes, c'était dans les mains des déménageurs qui avaient vidé l'appartement. Ils les avaient emballées sommairement dans du papier bulle et elles traînaient sur une caisse posée sur le trottoir, sans surveillance. Il s'en était mêlé mais avait été rabroué par une femme blonde élégante et désagréable. Je reconnus le portrait d'Éliane Dercours et cela me fit bien rire : je l'imaginais dans son tailleur Chanel se faisant expliquer ce qu'était une assiette à la girafe du pacha d'égypte par l'épicier de la rue. De souvenir en anecdote, il m'en confia une qui tranchait nettement sur les autres : d'après lui, durant plusieurs années, l'appartement était resté sans occupants, mais avait eu des visiteurs.

— Comment cela des visiteurs ?

— Oui, oui, je sais ce que je dis. Je ferme à trois heures du matin et je vois tout.

Tard dans la nuit, des voitures stationnaient devant et des hommes entraient. La lumière s'allumait aux fenêtres de Derk. Des ombres passaient et repassaient, pendant que des types attendaient dans les voitures. Cela s'était produit les mois suivant sa mort, puis l'année d'après et encore une ou deux fois durant les années suivantes.

— Des cambrioleurs ?

— Non, non, des gens bien avec des voitures neuves.

— Des gens qui ressemblent à des chauffeurs de maître ou des gardes du corps ?

— Oui, c'est ça, ce genre-là. Exactement.

— Bizarre, n'est-ce pas ? me dit-il après un silence.

Pas tant que ça, je reconnaissais là les manières du renseignement, voire d'autres services encore moins censés exister que ceux-là. Pourtant je ne comprenais pas la manœuvre, tout ce qui pouvait les intéresser ne se trouvait pas là, mais dans des coffres à numéro, loin de la rue de Bourgogne. À Genève.

Le « Cabaret du ciel » avait fermé ses portes avec moi. C'était le nom de code pour y avoir accès. Une référence à un cabaret de Pigalle, disparu lui aussi depuis des lustres. Il se trouvait juste à côté du Cabaret de l'enfer. L'entrée de celui-ci avait été sculptée dans la pierre, en forme de bouche monstrueuse pourvue de canines et de deux yeux horrifiants. Robert Doisneau en avait fait une photo célèbre avec un agent de police qui marche devant, l'air pas commode.

Bien avant que je travaille à ses côtés, Derk avait racheté un lot de plusieurs dizaines de cartes postales anciennes représentant l'intérieur du cabaret. Toujours la même scène sur la photo en noir et blanc : une tablée dans ce qui aurait pu être l'intérieur d'une cathédrale, on y voyait des hommes et des femmes en tenues de la Belle époque. Sur la gauche, un homme déguisé en saint Pierre tenait une immense clef, certainement en carton-pâte. Il y avait aussi un orgue, une chaire de prêtre, des angelots sous les voûtes de pierre et, dans le coin, imprimé en blanc : « LE CIEL,

Montmartre », bien que le cabaret fût situé boulevard de Clichy.

La procédure voulait que l'on se rende à Genève avec la carte postale. Sur son verso, Derk inscrivait la phrase « Bon pour un dîner », suivie d'étoiles. Le nombre d'étoiles correspondait au coffre à ouvrir. Jamais plus de quatre. Une fois le coffre ouvert, le « correspondant », c'est-à-dire le banquier, rayait la phrase au verso, inscrivait « Service compris », et l'on revenait à Paris avec la carte et le contenu du coffre. De l'argent ou un dossier. Il fallait téléphoner à un certain numéro et s'annoncer comme « le patron du Cabaret du ciel ». Suivait une discussion très informelle afin de fixer un rendez-vous dans les jours ou les semaines à venir. Jamais on ne devait téléphoner de l'appartement, pour raison de sécurité. Les appels étaient passés d'une cabine, jamais la même, et très éloignée géographiquement de la rue de Bourgogne.

« Allô, bonjour, je suis le patron du Cabaret du ciel. »

Je m'entendais encore prononcer la phrase derrière les vitres d'une cabine téléphonique située sur les Grands Boulevards ou au Palais-Royal.

« Ne quittez pas monsieur, nous allons vous passer un correspondant, me répondait une voix d'homme ou de femme avec un léger accent traînant. »

Malgré son souvenir si précis des assiettes à la girafe, il y avait un détail que Mahmoud ignorait : le numéro de téléphone du Cabaret du ciel était inscrit au verso de l'une d'elles.

Mahmoud reparti, je me reversai une rasade de gin, respirai l'odeur d'eau de Cologne si particulière que dégage cet alcool, puis je coupai deux quarts de citron vert, en pressai un et les fis tomber tous les deux dans les glaçons. Je m'assis dans les fauteuils de cuir beige et levai le verre à la santé de Vali Valou que je venais d'enclencher à nouveau sur le DVD. Elle faisait visiter la magnifique péniche au pêcheur en salopette, tout en ondulant des hanches. Maintenant, elle se penchait vers un congélateur pour en ressortir une bouteille de vin blanc pleine de givre. À ce moment on s'apercevait qu'elle ne portait pas de culotte. Clément n'avait pas manqué de souligner ce détail avec un zoom sur le visage du garçon, effet sûrement destiné à faire monter la tension érotique.

Qu'avaient bien pu chercher les visiteurs nocturnes de l'appartement ? La question demeurerait sans réponse, dissoute dans les vapeurs de l'alcool et les soupirs de Vali Valou…

C'est au moment de la partouze avec des campeuses norvégiennes que je sombrai dans le sommeil. La bouteille de gin s'affichait à moitié vide ou à moitié pleine, suivant le célèbre adage qui veut que l'on soit optimiste ou angoissé.

Ma femme me regardait bizarrement. Je lui avais ouvert à moitié endormi, les cheveux en bataille, avec la tête d'un homme qui a bu la veille.

— J'ai toujours su que tu étais étrange. Mais là… Je ne veux pas te retrouver dans la Seine ou pendu.

— Pendu, pourquoi donc ?

— Parce que les gens qui sont dans ton état se tuent, parfois ! Voilà pourquoi. Loiseau aussi était bizarre et silencieux dans les derniers temps, et il s'est tué.

— Je n'ai aucune intention de me tuer, répondis-je, presque blessé par sa remarque. J'ai peut-être le droit de prendre des vacances.

— Tu appelles ça des vacances. Tu prends les pilules du docteur Francœur ?

— Oui, et justement… maugréai-je en me massant les arcades sourcilières mais sans faire part de mes doutes quant aux effets secondaires de l'anxiolytique.

— Tu as ma photo ?

Elle ouvrit son sac et me la tendit. Je la pris et scrutai les visages.

— Quels sont tes projets ?

— Je vais aller voir Armand du renseignement, je vais lui demander de retrouver les personnes de la photo.

— Tu es complètement fou, Armand du renseignement ne t'aidera pas, il a d'autres choses à faire.

À la longue, il avait fini pas perdre son nom, il était devenu « Armand du renseignement ». La désignation de son métier lui avait ainsi créé une particule, sorte de noblesse.

— Tu es seul dans un appartement, loin de ta famille, avec des DVD porno, dit-elle en désignant la jaquette de *La Fille sur la péniche*, qui traînait sur le sol.

— Un seul DVD porno, précisai-je, et c'est un cadeau…

Je lui expliquai ma rencontre imprévue avec Clément Jacquier, mais cela ne sembla pas l'émouvoir outre mesure. De mon côté, ma décision était prise, je retrouverais tous les garçons et les filles de la photo, le temps de prendre un verre avec eux, ou même peut-être pas d'ailleurs. Juste le temps de voir à quoi ils ressemblaient aujourd'hui, ce qu'ils avaient fait de leur vie, eux. J'avais besoin de satisfaire cette curiosité-là. C'était comme une enquête et, désormais, ce petit jeu occuperait mes journées vides. Sans le vouloir, le docteur Francœur me l'avait suggéré avec l'anecdote de son rendez-vous dix ans plus tard devant les grilles de son lycée. J'allais faire mieux que cette sympathique bande de copains. Moi, je les retrouverais sans qu'ils le sachent. Pour cela j'avais besoin de leurs coordonnées. Une carte maîtresse de mes relations pouvait me renseigner : mon ami Armand Vouste des services du renseignement. Nous suivions nos carrières respectives et respectables depuis notre service militaire dans les transmissions, « l'arme qui unit les armes ». Nous ne transmettions pas grand-chose, à part la flemme inhérente aux longs week-ends de garde dans des lieux improbables où nous faisions semblant d'attendre un ennemi imaginaire. Armand lisait des romans d'espionnage de Robert Ludlum, il m'avait dit vouloir faire quelque chose là-dedans. Loin des agents des services « action », il avait effectué une très brillante carrière dans les bureaux du renseignement parmi les civils et les militaires. Une vie tournant autour de la nébuleuse des services secrets, des « honorables correspondants », ainsi que l'on nomme les infiltrés, d'autres moins honorables, des traductions, des logiciels et bien sûr des dossiers. Sans enfants, il habitait avec sa femme une immense propriété près de Saint-Germain-en-Laye où la monotonie des jours n'était rompue que par les grossesses de ses chiennes, arrière-petites-filles du labrador de Mitterrand, Nil, et qui assureraient la descendance du chien présidentiel. Lorsqu'on tapait le nom d'Armand sur les moteurs de recherche du Net, aucune réponse ne s'affichait : Armand Vouste n'existait pas. N'avait jamais existé. N'existerait jamais. Nous ne nous croisions que deux ou trois fois l'an dans les lieux impersonnels et luxueux que sont les bars d'hôtel : Crillon, Ritz, Costes, Meurice ou encore le Harry's Bar de la rue Daunou.

— Tu as changé de parfum ?
— Oui.

Sylvie se leva, fit quelques pas vers la fenêtre puis se retourna. Un petit effet théâtral qui me rappela ma mère.

— Il y a une femme, François ?

Je secouai la tête, abattu.

— Tu es partie deux mois en Inde pour y étudier les épices, lui dis-je, il y a deux ans de cela. Je n'ai pas protesté.

Sylvie n'ouvrit pas la bouche.

— Je ne t'ai pas accusé d'avoir une liaison avec un sikh à turban rose, poursuivis-je.
— J'aurais préféré.
— Avoir une liaison ?
— Non, que tu y aies pensé... Tu ne penses jamais que je puisse plaire à d'autres qu'à toi.

Qu'allais-je répondre : « si, j'y pense... », « non, je n'y pense pas ». Je n'avais rien à répondre. Je n'étais pas d'un naturel jaloux, l'idée que ma femme puisse me tromper ou que le compliment d'un homme dissimule autre chose ne m'avait jamais préoccupé plus que cela. Si j'avais dû considérer tous ceux qui m'avaient dit : « Sylvie Desbruyères... La Musarde, quelle femme ! et charmante avec ça » comme des rivaux potentiels, j'y aurais occupé mes journées à plein temps.

— Je suis triste, seul et, pour l'instant, je veux qu'on me laisse triste et seul. Voilà. C'est comme ça, je n'y peux rien, finis-je par répondre.

Tandis que mon plan s'organisait dans mon esprit, Sylvie continuait de me parler, d'elle, de La Musarde qu'elle ne pouvait pas quitter pour s'occuper de moi et de mon attitude étrange. Elle en arriva à la conclusion que je n'avais qu'à poursuivre avec ma photo, revoir tous ces gens qui ne m'attendaient pas, qu'après, je redeviendrais peut-être normal.

Nous nous séparâmes en nous serrant l'un contre l'autre, je lui répétai à nouveau de ne pas trop s'inquiéter, que je lui donnerais de mes nouvelles tous les jours. Elle insista pour que je reçoive bientôt Amélie à déjeuner ou à dîner. Je le lui promis.

Les petites portes battantes du Harry's Bar s'étaient entrouvertes sur la salle lambrissée. Tout baignait dans une demi-pénombre. À cette heure, il y avait peu de monde, quelques habitués discutaient près de la fenêtre en vitrail. Le barman, un grand blond vêtu d'un tablier blanc, les écoutait en souriant. Je m'avançai vers le fond, choisissant une table au hasard. J'avais pensé en sélectionner une bien au calme, et un peu isolée pour ce rendez-vous discret. Elles étaient toutes libres. Presque seize heures à ma montre. Armand n'allait pas tarder. Mon coup de fil tombait bien, selon lui, car il avait un crochet à faire par le SGDN et en profiterait pour prendre toute son après-midi. « Seize heures au Harry's, ça te va ? » Oui, ça m'allait. Aussi bien que quatorze, quinze ou dix-huit heures, mon emploi du temps était désormais très souple.

— Monsieur, qu'est-ce qu'on vous sert ? me demanda le blond qui venait de se planter devant moi.

Je pouvais lire son prénom brodé en vert sur son vêtement : « Laurent ».

— Un gin...

— Fizz, tonic ?

— Fizz, répondis-je tout en ne me rappelant pas bien la différence.

Armand apparut devant la porte battante, plissa les yeux un instant pour s'habituer à la pénombre, puis s'avança vers moi. Il avait de plus en plus de fils blancs dans ses cheveux noirs bouclés mais toujours ces yeux bleus délavés qui lui donnaient un regard de loup. Il avait l'air dur alors que c'était un type sympathique et parfois désabusé. Nous nous serrâmes la main et il s'assit face à moi.

— Tu es là depuis longtemps ?

— Non. J'ai commandé pour moi.

— Ah non, s'exclama-t-il contrarié. Qu'est-ce que tu as pris ?

— Un gin fizz.

— Non... Non... Laurent ! apostropha-t-il le barman, mon ami s'est trompé.

— Monsieur Vouste, dites-moi tout, fit Laurent en venant se placer devant notre table.

— Nous prendrons un Blue Lagoon, pour deux.

— Blue Lagoon double, très bien, reprit Laurent avant de s'éloigner.

— C'est quoi un Blue Lagoon double ?

— Tu verras. Je ne te vois pas tant que ça, alors fêtons le truc.

— Quelles sont les nouvelles ? lui demandai-je après un silence.

— La chienne est pleine, me répondit-il comme s'il s'agissait d'une fatalité.

Il me sembla que toutes les dernières fois où j'avais croisé Armand, il m'avait annoncé la naissance prochaine de chiots, que lui et sa femme ne pouvaient d'ailleurs jamais garder. Ils les distribuaient autour d'eux.

— C'est vrai, remarqua-t-il, elle doit calculer ses rapports sexuels en fonction de nos rendez-vous.

L'idée semblait l'intriguer et il paraissait à deux doigts d'y croire un peu.

De mon côté, je lui racontai mes journées vides, le meeting du parti, omettant le détour par le Salon de l'érotisme. Armand acquiesçait, il voyait dans ce programme distendu la possibilité de me rendre plus souvent à La Musarde et d'y goûter les plats délicieux de ma femme. Lui aussi, avec du retard sur les autres, me dit que je prenais un peu de recul, que je n'avais pas tort. Prendre un peu de recul, je l'avais entendu plus d'une fois, comme s'il s'agissait d'un alcool fort à servir dans des petits verres ballon… « Un peu de recul » à avaler cul sec et ça ira mieux. En ce qui le concernait, Armand ne voyait pas trop de nouvelles à me raconter, à part la grossesse de la chienne. Sa femme était toujours journaliste économique, rien de neuf de ce côté, et la discrétion de rigueur dans son métier ne lui permettait pas de me narrer mille anecdotes sur les services secrets français. Tout juste concéda-t-il qu'il avait des soucis avec les réseaux islamistes.

Laurent apporta une coupelle en verre, genre saladier, posée sur une serviette et une assiette blanche. Elle contenait deux pailles baignant dans un liquide bleu où flottaient des rondelles d'oranges et de citrons. Au centre, une petite pyramide de glace pilée avec deux cerises. Je n'avais jamais vu ça. C'était un rêve de buveur qui me fit instantanément penser à Veillers. Ce lieu ne devait pas être inconnu de ce grand mondain madérisé aux alcools forts.

— Vous connaissez André Veillers, le sénateur ? demandai-je au barman.

— Bien sûr, mais ça fait quelques semaines qu'on ne l'a pas vu monsieur Veillers…

Nous commençâmes à boire en silence le liquide bleu qui avait un goût de pamplemousse poivré et de vodka. Armand me demanda si je restais longtemps sur Paris. Je l'informai que je ne repartais pas, que j'avais loué l'appartement de Dercours. Il releva les yeux vers moi.

— Le 23 rue de Bourgogne ?

— Quelle mémoire.

— Tout le monde la connaissait la tanière de Derk. C'est bizarre que tu sois là.

— C'est un hasard, lui dis-je.

Ma réponse provoqua chez lui un léger mouvement de menton et un clin d'œil signifiant qu'on ne la lui faisait pas.

— Non, c'est pas vraiment un hasard, concédai-je.

Et nous replongeâmes dans la coupe, nos pailles entre les lèvres. On aurait dit une sorte de rituel ésotérique qui nous obligeait à respecter un silence momentané.

— Tu as trouvé quelque chose ? me dit-il sans relever les yeux de sa paille et du liquide qui diminuait doucement.

Comme je ne comprenais pas sa question et que je le regardais en silence, il poursuivit :

— Quelque chose dont tu voudrais me parler...

Ce qu'avait décrit Mahmoud me revint aussitôt à l'esprit : des voitures stationnées, des hommes qui rentraient la nuit dans l'appartement, de la lumière, puis plus rien. Il y avait quinze ans de cela et voilà que la question revenait.

— Non... dis-je doucement.

— Ah bon...

— Pourquoi tu me demandes ça ?

— Comme ça, fit-il débonnaire.

Il replongea dans le Blue Lagoon et il y eut un long silence avant que je ne pose enfin ma question.

— En fait, j'ai un service à te demander.

— Dis-moi.

Je sortis ma pochette blanche et l'ouvris sur la photo de classe. Armand la prit en main, attrapa ses lunettes dans sa poche de veste et l'examina avec attention.

— C'est toi, fit-il en me désignant.

Je hochai la tête. Je lui indiquai que tous les noms et prénoms des élèves étaient tapés à la machine à l'arrière de la photo. Il la retourna et parcourut cette liste qui ne lui évoquait bien sûr rien.

— Tu pourrais savoir ce qu'ils sont devenus ? Leurs adresses, leurs métiers...

Tout en formulant ma requête, je me dis que Sylvie avait raison. Armand allait poser les yeux sur moi, m'expliquer que cela n'était pas dans ses cordes, qu'il était trop haut placé pour s'occuper d'une broutille pareille. Que les services de renseignements n'étaient pas conçus pour ce genre de requêtes.

— Tu fais du tourisme dans le passé... fut son seul commentaire.

— En quelque sorte.

— Pourquoi tu ne vas pas sur le site « Copains d'avant » ?

— Je ne trouverai que quelques réponses, et encore... Tandis qu'avec toi...

— Avec moi tu auras tout. Bien vu. Tu veux ça pour quand ?

— Quand tu peux.

— Ça devrait aller vite. Je te tiendrai au courant.

La petite pyramide de glace devenait de plus en plus haute à mesure que le liquide atteignait le fond du bol. Nous finîmes le Blue Lagoon en silence. Je le quittai sur le seuil du bar, il emporta ma photo et fit une fois de plus semblant de s'éloigner à pied, pour en fait retrouver un chauffeur, garé discrètement à quelques rues de là. La voiture le ramènerait dans les allées de cette bibliothèque d'Alexandrie des secrets que sont les services de renseignements d'un pays.

Une carte où l'on pouvait voir un petit sque-lette rouge.

— La trahison. L'homme aux cheveux blanc... Il est dangereux, précisa-t-elle en fai-sant allusion à la carte que j'allais recouvrir par le petit squelette.

Celle-là représentait un homme en costume noir portant une perruque blanche.

Ma fille était venue déjeuner comme convenu rue de Bourgogne. J'avais acheté quelques plats tout prêts chez le traiteur et une bou-teille de bourgogne blanc. Amélie ne m'avait pas prévenu qu'elle serait accompagnée et je n'avais pas acheté assez pour trois.

— Aucune importance, m'avait répondu son amie, je mange très peu et jamais au déjeuner.

Je n'avais pas eu de mal à la croire, cette fille était d'une minceur presque inquiétante. Un peu anorexique, avais-je songé. Amélie avait attiré son contraire, blonde et constam-ment entre deux régimes injustifiés, elle avait toujours été en bonne santé et n'était jamais la dernière pour goûter les essais de La Musarde. À voir Karine, puisque c'est ainsi que se prénommait sa nouvelle amie, je m'étais aussitôt inquiété de ses relations aux Beaux-Arts. Plus âgée qu'Amélie, vêtue de noir, avec des longs cheveux teints aux reflets aile de corbeau et une oreille entière recouverte de piercings, elle avait tout d'une gothique paumée. Peut-être même droguée… À l'occasion, je demanderais à Sylvie si elle avait entendu parler de cette nouvelle fréquentation. Karine m'avait expliqué qu'elle faisait partie de l'école du Dark Art qui avait pour égérie une certaine Nathalie Shau dont elle avait voulu me montrer les œuvres sur le Net. Des tableaux étranges à la croisée du romantisme et du numérique, qui présentaient des jeunes filles au teint blême, dans des décors d'outre-tombe. De ces images se dégageait une poésie étrange qui rappelait l'univers d'Edgar Poe. Sans avoir la renommée de cette artiste, Karine disait plutôt bien vivre de ses créations personnelles. Sa principale source de revenus provenait des jeux vidéo pour lesquels elle dessinait régulièrement des personnages, des costumes et participait parfois même à l'élaboration des décors. Elle m'avait cité quelques noms, *Perfect Cristal*, *Cosmos divinity*, qui ne m'évoquaient rien.

Le déjeuner achevé sous l'œil de Karine qui avait refusé le vin blanc, préférant juste un verre d'eau, Amélie m'avait demandé si je voulais que son amie me tire les cartes, ajoutant que celle-ci avait un don exceptionnel. J'avais répondu que je n'aimais pas les cartes, que cela me rappelait des parties de belote et de bataille durant mon service militaire.

— Ce ne sont pas les mêmes cartes, avait dit Karine en sortant de la poche de son manteau de daim noir un jeu que je n'avais encore jamais vu.

C'était un dérivé du tarot de Marseille, mais italien, vénitien pour être plus précis. D'après elle, le jeu était en usage au XVIIe siècle et peu de gens savaient en manier les règles aujourd'hui. J'avais fini par accepter pour faire plaisir à ma fille.

Le jeu durait depuis vingt bonnes minutes.

— Tiens, c'est étrange.

— Oui, dis-je, un peu lassé.

— Le passé à nouveau...

Je venais de sortir, à sa demande, une carte de la petite pile. Une sorte d'hydre à nombreuses têtes que nous avions déjà placée dans le jeu dix minutes plus tôt. Elle posa dessus une nouvelle carte représentant un candélabre allumé.

— Je n'ai jamais vu un tel jeu, murmura-t-elle, avant de recompter toutes les cartes qui s'étalaient en ligne droite sur la table. C'est comme un retour en arrière, vous allez faire un grand voyage et de multiples rencontres. Vous avez déjà commencé.

Elle leva les yeux vers moi.

— Je vais revoir des camarades de classe, dis-je prudemment.

— Il est la clef de tout, affirma-t-elle en posant l'ongle rongé de son index sur la première carte, un vieux roi avec une couronne rouge, que j'avais sortie du jeu. L'homme âgé, précisa-t-elle. Il veille sur vous, mais...

Elle retourna une carte, dont le dos était noir.

— ... Il n'est plus là depuis longtemps.

Elle compta quelques cartes sur le jeu, s'arrêta à l'hydre et reprit :

— Et pourtant, il est là. Il vous protège. Un parent ?

— Derk... proposa Amélie.

— Derk est mort, répondis-je froidement.

— Je vous l'ai dit, il n'est plus parmi nous, il va revenir pour vous aider.

— On ne revient pas de la mort, jeune fille.

Elle me regarda de ses yeux noirs.

— Je sais, j'ai perdu mes parents et je ne crois pas aux fantômes, monsieur Heurtevent.

— Alors, ce que vous me dites...

— Ce que je vous dis, c'est autre chose.

— C'est Derk, tu habites son appartement, reprit Amélie doucement.

Je lui lançai un regard que je voulais le plus inexpressif possible. En fait, cette fille commençait à m'inquiéter avec son jeu bizarre et ses suppositions qui tombaient justes. Dans l'homme aux cheveux blancs, je n'avais pu m'empêcher d'identifier Pierre-Marie Alphandon. Karine avançait dans le jeu, le bout de son doigt émettait un petit toc à chaque carte. Elle retourna une des dernières.

— Une révélation...

La carte présentait un miroir où un homme vêtu d'un costume du XVIIᵉ siècle se reflétait.

Elle me demanda à nouveau d'en tirer une et de la lui tendre. Je sortis une carte avec un chat rouge.

— Le hasard, dit-elle. Troisième fois qu'il sort, il guide le jeu depuis le début et mène à la révélation.

Elle la posa sur la carte au miroir et revint en arrière jusqu'au vieux roi.

— Sept... Huit... Vous triomphez, fit-elle dans un souffle.

Amélie sourit, elle semblait très fière de son amie.

Karine coupa le tas pour en extraire quatre cartes qu'elle disposa face contre la nappe, et sortit de sa poche trois petites clefs.

— Posez chaque clef sur une des cartes.

— Où je veux ?

— Où vous voulez.

Je posai une des clefs, elle retourna la carte. C'était un paysage de montagne avec une lune et un soleil.

— Vous allez ouvrir les petits et les grands secrets.

Par défi, je posai les deux clefs restantes sur une seule carte.

— J'ai le droit de faire cela ?

— Oui. Ceux qui le font sont rares, répondit-elle. C'est très intéressant...

Elle retourna la carte qui représentait un homme jeune vêtu d'un habit de roi avec une couronne rouge.

— C'est ce que j'attendais, murmura-t-elle. Et en plus vous avez posé deux clefs.

— Cela veut dire ?

— Je retrouve mon royaume... énonça-t-elle doucement avant de reposer le doigt sur le vieux roi.

— Le vieux roi n'est plus... L'homme aux cheveux blancs a écarté le prince. Le royaume est délaissé, le prince s'en va par-delà les collines, dit-elle en désignant la carte d'un chevalier. La solution est dans le passé.

Son doigt sauta sur le paysage sous la lune.

— Ceci ouvre les secrets... Jusqu'à la révélation.

Elle posa le doigt sur la carte au miroir.

— Pourquoi revoir ces anciens camarades ? me demanda-t-elle après un silence.

— J'ai retrouvé une photo de classe.

— Par hasard ?

— Oui.

Elle fit glisser la carte au chat rouge et me la montra en souriant avec malice.

« Problème d'emploi du temps, tu trouveras toutes tes infos dans la liste ci-jointe. Amuse-toi bien.
Tu as un bon pour un gin fizz.
Amitiés, Armand. »

Je levai les yeux sur Laurent qui déposait devant moi un gin fizz avec un sourire entendu. J'ouvris l'enveloppe qu'avait déposée Armand à mon intention, au Harry's Bar, et en sortis ma photo ainsi que plusieurs pages imprimées. La première contenait des informations générales ; les suivantes, les coordonnées détaillées de tous les élèves. En quarante-huit heures, Armand avait retrouvé tout le monde. Je savais bien ce que je faisais en m'adressant à lui plutôt qu'aux annuaires et aux réseaux du Net.

Recherches générales par secteur d'activité

Identitaires / Personnes / Citoyens français / Officiellement présents sur le territoire / Déclarés aux services des impôts / Déclarés sur les listes électorales. Recherches étendues aux ressortissants français à l'étranger. Code 4455Y77790743KLP77. Sources : non communiquées.

Motif de la recherche : vérification – code 1.

Objet : sans objet.

Type : confidentiel.

Coordonnées détaillées / voir page suivante.

- Franck Alèsse. Activité : bijoutier-joaillier / Paris / sans casier judiciaire.
- Jérôme Auberpie. Activité : prêtre / Paris / sans casier judiciaire.
- Sébastien Beauchy. Activité : agent immobilier / Paris / sans casier judiciaire.
- Béatrice Bricard – épouse Beaumont. Activité : secrétaire médicale / Nantes / sans casier judiciaire.
- Daniel Célac. Activité : directeur d'établissement scolaire / Paris / sans casier judiciaire.
- Stéphane Crestin. Activité : hôtelier / Paros, Grèce / sans casier judiciaire.
- Gilles Dervet. Activité : magicien / Paris / sans casier judiciaire.
- Audrey Desnois – épouse Carvelier. Activité : sans profession / Grenoble / sans casier judiciaire.
- Nathalie Dirand. Activité : enseignante / Lyon / sans casier judiciaire.
- Marie Farnoux – épouse Raynac. Activité : sans profession / Paris / sans casier judiciaire.
- Pascale Genvrier. Activité : libraire / Marseille / sans casier judiciaire.

- Aude Gerfon – épouse Quercy. Activité : cadre supérieur / Bouygues / Paris / sans casier judiciaire.
- François Heurtevent : demande absente.
- Clément Jacquier. Activité : réalisateur audiovisuel / Paris / sans casier judiciaire.
- Jean-Marc Lacaze. Activité : barman / Paris / sans casier judiciaire.
- Éric Larmier. Activité : directeur financier / Arkanor groupe / Paris / sans casier judiciaire.
- Pierre Lecoq : décédé.
- Marjorie Levart. Activité : prostituée / catégorie : call-girl / Metz / casier judiciaire – code 1.
- Jérémie Pedrini. Activité : propriétaire d'établissement de jeux / Nice / casier judiciaire – code 5 – fiché au grand banditisme – actuellement incarcéré.
- Cédric Pichon. Activité : concepteur de jeux vidéo / Antarès-Sygma / Issy-les-Moulineaux / sans casier judiciaire.
- Dominique Pierson. Activité : commissaire-priseur / Paris / sans casier judiciaire.
- Delphine Poisson – épouse Kowinski. Activité : coiffeuse / Salon Chloé Coiffure / Paris / sans casier judiciaire.

Les pages suivantes contenaient les coordonnées détaillées de chacun. Je consultai celles de Clément Jacquier.

Clément Jacquier, né le 12/11/1962 à Paris 75. Statut familial : marié / enfant : 1.

Activité : réalisateur audiovisuel. Statut : inter-
mittent du spectacle.
Type : Film érotique / Classé X / Pornographique.
Contact professionnel : Cléopatra Films
Productions.
221 avenue de la République, 92000 Nanterre.
Tél : 01 48 07 57 66. Fax : 01 48 07 17 87.
Mail : Cleopatrafilms@aol.com
Contact personnel : 12 rue Saint-Charles
75015 Paris.
Tel : 01 42 36 00 61. Portable : 06 07 06 89 34.
Mail : cljacquier@wanadoo.fr

Tous ces noms et ces professions me donnaient le tournis. Marjorie Levart était devenue prostituée ? Call-girl ? Cela paraissait
insensé, mais Armand ne pouvait pas se
tromper. Pierson était commissaire-priseur,
Alèsse bijoutier, Célac avait fait carrière dans
l'enseignement, Dervet était magicien, Pierre
Lecoq, dont j'avais peu de souvenirs, n'était
plus parmi nous… Stéphane Crestin vivait en
Grèce, Delphine Poisson était devenue coiffeuse. Je pouvais peut-être commencer mon
périple par là. Un rendez-vous dans un salon
de coiffure, cela me sembla simple pour débuter. Première étape : Chloé Coiffure. Marco,
mon vendeur du Bon Marché, me trouvait les
cheveux trop longs, j'allais satisfaire ce jeune
homme dans le vent.

— Avec Chloé elle-même, monsieur ?

— C'est la patronne, Chloé ?

— Oui, monsieur.

— Alors, oui... Oui mademoiselle, avec Chloé.

Il était maintenant trois heures moins cinq à ma Rolex et j'apercevais sur le trottoir une élégante pancarte blanche au nom du salon, vantant quelques soins particuliers de beauté, dans une calligraphie appliquée. Je décidai de passer devant sans m'arrêter, histoire de repérer un peu plus les lieux. Je n'aperçus que quelques jeunes femmes vêtues de blanc, des casques, des séchoirs. Pas de Delphine Poisson.

La porte en verre émit un tintement qui provoqua le sourire d'une jeune fille derrière la caisse. Avant de me faire connaître, je posai les yeux sur le décor. Une rencontre improbable, dans un salon de coiffure dont je n'aurais jamais poussé la porte. Je me demandai si ce n'était pas ça le fond de ma démarche, poser des rendez-vous inattendus dans mon agenda vide.

Des larges glaces, des fauteuils en rotin laqués de blanc, des plantes vertes très hautes, dont j'étais bien incapable de définir l'espèce. Des étagères en bambou sur lesquelles s'alignaient des dizaines de flacons de soin. Dans l'espace des shampoings, je distinguai une petite cascade surmontée d'un bouddha, ce genre de fontaine décorative souvent qualifiée de zen que proposent à la vente des catalogues spécialisés. Deux femmes patientaient en silence, regardant leurs reflets dans la glace sans paraître s'y voir, tandis qu'un gros homme chauve se faisait masser le crâne par une jeune fille.

— J'ai rendez-vous à quinze heures, dis-je en m'approchant de la caisse.

— Vous êtes monsieur François ?

J'avais usé de mon prénom, préférant rester discret. En fait, j'avais envie d'être là sans y être vraiment, sans que Delphine Poisson puisse m'identifier. L'homme invisible en quelque sorte.

— Je vais vous débarrasser, me dit la jeune fille.

Je lui donnai ma veste et enfilai un peignoir en soie blanche, avec « Chloé » brodé sur la poitrine, très semblable à la tenue des serveurs du Harry's Bar, exception faite du nom qui était cousu de fil rose.

— Monsieur va aller au shampoing pendant que madame sèche au fond, dit une femme blonde en se tournant vers moi.

154

Delphine Poisson, c'était elle. Elle ne portait plus ses lunettes cerclées d'or, ses cheveux étaient plus abondants et plus clairs.

— Bonjour, me dit-elle dans un sourire en passant à mes côtés. Myriam va vous faire un shampoing et je vous retrouve après.

M'avait-elle reconnu après toutes ces années ? Mon visage lui avait-il rappelé quelque chose ? Je n'en avais aucune idée. Elle n'avait pas tant changé que cela, je dirais même qu'elle avait changé en mieux. Déjà jolie dans mon souvenir, elle semblait s'être épanouie avec les années, à la manière d'une fleur. Il y avait un je-ne-sais-quoi de lumineux qui se dégageait d'elle et qui ne devait rien à sa blondeur ou à sa tenue blanche. Je la suivis des yeux tandis qu'elle retournait près d'une femme aux cheveux courts, les ciseaux en l'air pour quelques raccords de précision.

— Monsieur, si vous voulez bien vous installer, m'invita une voix haut perchée.

Je me tournai vers la jeune fille des shampoings pour découvrir Roxana, ma vendeuse d'œuf vibrant qui me regardait fixement.

— Chut, souffla-t-elle dans un mouvement de bouche imperceptible.

Je hochai la tête pour lui signifier que j'avais compris. Nous ne nous étions jamais rencontrés et François Truffix n'existait pas. La seule personne capable de me démasquer était tenue par la discrétion. C'était parfait.

— Ça va la température de l'eau ? me demanda-t-elle.

— Très bien.

Tandis que les mains de Roxana ondoyaient dans mes cheveux, je ne pouvais m'empêcher de la revoir me faisant la démonstration de l'œuf vibrant. Roxana, qui s'appelait Myriam, à moins que ce ne soit encore un autre pseudonyme. Delphine Poisson qui se nommait désormais Chloé et Clément Jacquier qui était devenu François Truffix… Dans ce jeu des identités, je finis par penser que j'étais le seul qui allait sous son vrai nom et encore c'était faux, puisque j'étais monsieur François.

Le shampoing terminé, Roxana me passa une serviette blanche dans les cheveux, la disposa autour de mon cou et m'accompagna jusqu'à ma place en me proposant un café que j'acceptai volontiers. D'où j'étais, je voyais Delphine dans les miroirs, de dos, de trois quarts et de profil. Une musique douce faite de synthétiseur et de sons cristallins planait dans le salon, le morceau paraissait sans fin. Au-dessus de mon miroir, il y avait des photos encadrées de filles aux coiffures complexes. Parmi les visages, je reconnus celui de Roxana, puis mes yeux se posèrent sur la jeune fille de la caisse, elle aussi était photographiée avec un chignon compliqué. L'autre jeune fille posait également avec un carré blond alors qu'elle était aujourd'hui brune, avec les cheveux aux épaules. Ainsi, toutes les assistantes de Delphine Poisson étaient photographiées afin de montrer les coiffures possibles aux clientes. La fille de la caisse me déposa mon café. Tandis que le sucre s'y dissolvait, je parcourus un dépliant plastifié, posé en évidence sur la tablette : « Chaque soin personnalisé en fonction de votre chevelure. Un cocktail d'huiles essentielles adapté uniquement pour vous. Les trésors du désert de Judée à votre service. »

Je pris un magazine pour patienter : *Paris Match*, *Voici*, *Gala*, *Top Santé*. J'ouvris ce dernier à la page : « Faire peau neuve avec le peeling ? » L'article faisait la promotion de ce soin dermatologique, qui consistait à brûler légèrement la peau du visage afin de la rendre plus lisse. Des photos avant-après proposaient de constater de visu l'extraordinaire efficacité du peeling. Je refermai le magazine et me mis à feuilleter *Gala* : « Après les élections, le bonheur au quotidien ». L'article présentait les nouveaux maires que l'on pouvait voir prenant des petits déjeuners improbables : café et thé à profusion, corbeilles de fruits, tartines, confitures, bacon, lait, disposés sur des nappes immaculées devant les objectifs du magazine. Je connaissais l'astuce, c'était toujours les rédactions qui venaient avec les victuailles afin que la photo soit plus glamour. Je m'étais prêté à ce jeu débile à quelques reprises. Ce que je redoutais apparut au détour d'une page : Alphandon à Perisac. Avec ses cheveux blancs ondulés, sa famille et son sourire éclatant : « "Bienvenue chez moi, je me lève tôt !" lance le nouveau maire de Perisac. Marie-Anne, sa femme, a préparé le petit déjeuner de toute la famille, l'odeur du café brûlant arrive jusqu'à nos narines tandis que monsieur le maire nous fait faire le tour du propriétaire. Passionné par les chiens, il nous laisse admirer les coupes gagnées par ceux-ci… » Je quittai cette lecture pour revenir à son visage sur la photo. Pierre-Marie Alphandon, mouillé puis blanchi dans des scandales divers, grenouilleur et tripatouilleur de la politique. À la deuxième tentative, il avait réussi. L'homme aux cheveux blancs du jeu de Karine la gothique. La trahison… « Il est dangereux… » avait-elle prévenu. Deux cent deux voix d'écart. À croire que ce grand escroc avait triché pour me ravir ma place. Cette idée, je n'eus pas le temps de jouer avec elle, et surtout d'en mesurer la possibilité.

— Alors, dites-moi tout…

Je levai les yeux vers mon miroir, Delphine se tenait derrière moi, le peigne en suspens.

— Tout ? Vous voulez vraiment que je vous dise tout ? plaisantai-je en reposant la revue sur la tablette.

— Il ne faut jamais tout dire, me rétorqua-t-elle dans un sourire complice, parlons plutôt de l'essentiel, le cheveu par exemple.

Je me demandai si elle ne m'avait pas reconnu, si cette réplique piquante n'avait pas un double sens à saisir. Attendait-elle que je me dévoile en premier ? Ou peut-être me faisais-je des idées : Delphine n'établissait pas de lien avec le François du cours Levert. Celui qui, parfois, s'amusait avec sa queue-de-cheval lorsqu'il était placé derrière elle dans la salle de classe.

« Arrête ! disait-elle, qu'est-ce que tu fais ?

— J'essuie mon stylo dans tes cheveux.

Elle se retournait aussitôt.

— C'est pas vrai ?!

— Non, c'est pas vrai... »

— En fait, je voudrais la même chose, en plus court, mais pas trop non plus.

— C'est une bonne idée, un peu plus court, dit-elle en passant le peigne dans mes cheveux, soudainement très attentive à mon crâne et plus du tout à ma personne.

Le nez. Tout à coup, ça m'apparut évident. Delphine Poisson s'était fait refaire le nez.

Le gros homme chauve se faisait toujours masser le crâne par l'une des assistantes. Maintenant, il fermait les yeux.

— Tout va bien monsieur Carlan ?

— Chut, murmura-t-il.

— C'est une vocation la coiffure ?

— Oui, j'ai toujours voulu faire cela, me confia-t-elle dans cette étrange conversation qui se nouait à travers le miroir.

Cela renforçait l'aspect irréel. Je dialoguais avec une image. Comme si Delphine n'était pas derrière moi, mais derrière le miroir.

Ainsi, lorsque nous étions ensemble en classe elle rêvait déjà de coiffure, de laque et de ciseaux aiguisés. Je l'ignorais. Peut-être s'était-elle confiée aux filles. À cet âge, le fossé est encore grand entre les filles et les garçons. Delphine coiffait ma tête sans savoir que dans celle-ci tournaient des souvenirs. Je savais qui elle était et elle ne m'avait pas reconnu, maintenant j'en étais sûr, je lui avais tendu quelques perches qu'elle n'avait pas saisies. Si on m'avait dit qu'un jour elle me coifferait... Maintenant, elle passait ses mains dans mes cheveux, pour ébouriffer le tout dans un mouvement souple. La seule femme qui passait ses doigts dans mes cheveux était la mienne, il y avait dans ce geste simple une sensualité, presque une transgression que j'aurais eu du mal à définir. Il fallait donc que trente années se fussent écoulées pour qu'entre nous un contact physique ait eu lieu. Pas n'importe lequel, un geste précis qu'on ne fait qu'à son amant, à son mari ou à ses enfants. Sauf bien entendu lorsqu'on est coiffeuse. Sortait-elle avec Sébastien Beauchy ? La question me revint à l'esprit brusquement et je n'étais pas près d'avoir la réponse. La personne qui le savait se tenait à quelques centimètres de moi mais pour rien au monde je ne le lui demanderais.

C'est en payant que je me trompai.

— Merci Delphine, dis-je.

Son visage changea.

— Comment connaissez-vous mon prénom ?

— Je vous ai appelé Delphine ? C'est une erreur, c'est le prénom de ma femme, répondis-je pris de court.

— Ah, c'est drôle, c'est le mien aussi.

Mon mensonge parut la satisfaire. Pourtant, au moment où j'enfilai ma veste et que l'une des jeunes filles me passait la brosse sur les épaules, nos yeux se croisèrent et son regard s'attarda sur moi quelques secondes de trop. « Tu te souviens, on était en classe ensemble ? » La phrase ne sortait pas. Je n'arrivais pas à la prononcer. De son côté, si elle avait mis un nom sur mon visage, elle non plus ne dit rien. Peut-être était-ce mieux ainsi. Plus conforme à ce que je souhaitais au départ : les revoir tous, savoir ce qu'ils étaient devenus, sans qu'ils sachent que j'étais en face d'eux.

La nuit était tombée. Seul dans l'appartement, j'organisais mon agenda en fonction des adresses professionnelles de mes anciens camarades. Le cas de Marjorie Levart, prostituée à Metz, avait quelque chose de fascinant, tout comme l'était celui de Jérôme Auberpie, devenu prêtre à l'église Sainte-Marie-des-Batignolles. Dans mon souvenir, il aimait surtout la bande dessinée. Pour la journée du lendemain, je pouvais caser une visite à Sébastien Beauchy, l'agent immobilier, afin de savoir s'il sortait ou non avec Delphine Poisson. Dans ce cas je serais obligé de me dévoiler, mais peu importe, mon plan pouvait souffrir quelques concessions. Je ferais de même avec Daniel Célac qui, à ma grande surprise, était devenu directeur d'un établissement scolaire, et pas de n'importe lequel : Célac dirigeait le cours Levert. Ainsi, tous les jours, il était encore dans les couloirs et les salles de classe de mes souvenirs. Tout le monde était parti, lui était revenu faire sa vie dans cette case de départ, si lointaine aujourd'hui. Réflexion faite, j'allais me rendre au cours le lendemain matin, ensuite je passerais voir Sébastien Beauchy et je pourrais finir ma journée par Gilles Dervet, magicien. Sa prestation aux environs d'une heure du matin au Lapin jaune, à Pigalle, m'avait été confirmée par l'établissement. Trois personnes en une journée, c'était un bon rythme, que je ne pourrais pas tenir quotidiennement. Pour les provinciaux, il faudrait prévoir le temps du déplacement, notamment pour Marjorie Levart, à Metz. Pour Stéphane Crestin, hôtelier à Paros en Grèce, malgré la beauté des Cyclades, le voyage me paraissait un peu long. D'autant que je n'avais pas d'affinités particulières avec lui. Béatrice Bricard ou Cédric Pichon ne me parurent pas non plus une priorité. Je décidai de procéder par ordre et de commencer par ceux dont je me souvenais le plus. Ainsi, Dominique Pierson, commissaire-priseur, avec son air de mouette en colère, était facile d'accès. Il me suffirait de me rendre à Drouot à sa prochaine vente pour l'y croiser.

Mon agenda s'organisait. Sylvie avait raison, ce que je faisais était étrange et même loufoque, mais je m'étais trouvé un programme et je souhaitais m'y tenir, il ne durerait que quelques semaines tout au plus. Je fis une pause dans mon planning et allai me réchauffer mon dîner, un plat surgelé de cailles au pommeau que j'enfournai dans le micro-ondes pour quatre minutes. Mon téléphone restait obstinément silencieux. Seule Sylvie me contacterait après l'extinction des feux à La Musarde. Je me déplaçai dans le salon jusqu'à la fenêtre et écartai les rideaux. En face, derrière les voilages, je devinais de beaux appartements comme en vendait Franck Houdriette, le membre du parti. Dans les lumières tamisées, parfois une silhouette bougeait devant la brillance changeante d'un écran de télévision. La sonnerie du four retentit et quelques instants plus tard, je mangeai le plat, constatant, une fois de plus, que j'avais de la chance d'être marié à une chef étoilée. Ce que j'avalais me rappelait beaucoup un film avec Louis de Funès, *L'Aile ou la cuisse*, qui se termine dans une usine inquiétante, Tricatel, où l'on fabrique de la nourriture à partir de rien.

L'emballage contenant l'œuf mouvant traînait sur la table basse, je le ramassai pour le jeter à la poubelle avec les restes de mon repas. Il se mit à vibrer, j'appuyai dessus pour l'arrêter mais il embraya sur une vitesse plus forte et sortit de son paquet. Il rebondit sur le sol et se déplaça tout seul sur le parquet, comme animé d'une vie propre. Je posai ma vaisselle dans l'évier et retournai dans le salon, l'œuf avait disparu. Je le cherchai des yeux sous les meubles, sans l'apercevoir. Je finis par me tenir immobile dans la pièce afin de me guider au bruit et je perçus un bourdonnement très faible. C'était comme un jeu : trouver l'œuf à l'écoute. Il n'était pas sous le canapé, ni derrière le bureau ; le bruit devenait plus intense dans l'angle gauche du salon. Les mots d'enfant : « C'est froid, c'est chaud, tu brûles », me revinrent à l'esprit. La fenêtre. Cela ne pouvait venir que de là. J'écartai le rideau pour découvrir l'œuf contre la plinthe, vibrant obstinément comme s'il voulait passer à travers. Je m'accroupis pour le ramasser. À cet instant, mes yeux se posèrent sur le mur.

Tout était repeint en blanc. Tellement bien repeint que le placard avait disparu. L'œuf continuait de vibrer mais je ne prêtais plus attention à lui. Du bout des doigts, à droite de la fenêtre, j'éprouvai les couches de peinture qui avaient dû se superposer en quinze ans. À cet endroit précis, le motif décoratif rectangulaire qui se répétait dans toute la pièce dissimulait un placard mural. Très peu profond, il ne possédait qu'une étagère et n'avait pas de serrure. Derk l'ouvrait à l'aide de la pointe d'un coupe-papier et le refermait du plat de la main. Je cognai le mur avec une phalange, plein… plein… plein… creux. Je ne me trompais pas, personne ne l'avait bouché, pour cela il fallait en connaître l'existence. Je pris l'œuf et le tapai sur le sol, il s'arrêta net.

Des idées confuses me trottaient dans la tête, mais l'une d'elles primait sur les autres : ouvrir le placard, maintenant, ce soir. Je retournai à la cuisine et me saisis d'un couteau ainsi que d'un casse-noisettes qui pourrait, le cas échéant, faire office de marteau. Agenouillé sur le parquet, le piètre bricoleur que j'étais commença son ouvrage. Je faillis me planter la lame dans le doigt au premier essai mais, très vite, je compris que je devais faire sauter la peinture en suivant la ligne du rectangle.

Petit à petit, j'y parvenais, elle tombait par éclats, entraînant des couches vertes et même jaunes que je n'avais jamais connues. Celles-là devaient remonter à la construction de l'immeuble. En sueur, au bout d'une demi-heure, j'avais dégagé une ligne entière correspondant à la porte. Je tentai de faire pression en y glissant le couteau. Je forçai et il cassa, manquant de m'arriver dans l'œil. Je revins avec un nouveau couteau et continuai de faire sauter la peinture plus rapidement, maintenant que j'avais la technique. La deuxième tentative fut la bonne, la lame ploya sous la pression et la porte s'ouvrit dans un craquement, projetant sur le sol d'autres éclats de peinture blanche.

Il y avait effectivement une étagère à l'intérieur. Avec de vieux stylos, des gommes, un article jauni découpé dans *Le Monde* en 1987 sur les stratégies des groupes pétroliers, et une photo, que je retournai. On y voyait Dercours avec ses lunettes en haut du crâne, il avait la tête de celui qui va faire un mauvais coup et que cela amuse. C'était la photo que nous donnions à la presse. Je regardai ses yeux qui fixaient l'objectif mais paraissaient à cet instant me regarder, moi. Je restai immobile, les yeux dans les siens, puis je posai doucement le cliché sur le sol. Je dus mettre la tête à l'intérieur du placard pour parvenir à déceler autre chose. Une enveloppe bleu ciel, posée contre le mur. Je la retirai et l'ouvris. Elle contenait une carte postale ancienne : *Le Cabaret du ciel* ; toujours la même scène de tablée avec les convives et saint Pierre. Je la retournai. Il était écrit : « Bon pour un dîner », suivi d'étoiles.

Aucune main d'aucun correspondant n'était venue rayer la phrase et inscrire : « Service compris ». Je comptai les étoiles. Je ne me trompai pas, il n'y en avait pas quatre, mais cinq. Mes yeux se posèrent sur la photo de Derk au sol.

Il souriait.

— Tu as vu pas mal d'argent liquide passer entre ces murs… Si, si, ne dis pas le contraire, maintenant nous sommes comme qui dirait en affaires tous les deux.

C'est ainsi qu'il avait débuté pour m'expliquer l'histoire du Cabaret du ciel, des cartes postales et des comptes à Genève.

— Je suis très fatigué ces temps-ci… C'est l'âge, avait-il ajouté, songeur. Je me fais vieux… Je ne vais plus aller à Genève dans la journée, c'est toi qui iras, je vais prendre des dispositions.

C'était une marque de confiance infinie qui, toutefois, ne souffrait pas la contradiction. Ainsi commencèrent mes petites expéditions au Cabaret du ciel, deux ou trois fois l'an. En avion, car la douane y était moins regardante qu'à la gare. J'utilisais pour ce faire une très belle mallette Hermès spécialement conçue par la célèbre enseigne du faubourg Saint-Honoré ; elle possédait un double fond parfaitement indécelable où l'on pouvait ranger jusqu'à un demi-million en coupures de cinq cents. La somme paraît énorme, et elle l'était. En revanche, convertie en billets de banque, la masse n'était pas si impressionnante qu'on aurait pu l'imaginer.

Lorsqu'il ne s'agissait que d'une somme modeste, d'un simple prélèvement sur le compte, et que l'ouverture des coffres n'était pas nécessaire, c'est au bar de l'hôtel des Bergues que j'avais rendez-vous avec mon correspondant. J'avais toujours plusieurs heures à tuer dans la ville où je ne connaissais personne et où je n'étais même pas censé me trouver. Genève, durant les premiers temps, fut pour moi synonyme d'ennui et de promenades solitaires autour de ce lac qui ressemble à un bassin géant avec son jet d'eau surdimensionné. Des heures à ne parler à personne, à faire tanguer la mallette vide du bout des doigts, à donner du pain à des cygnes alanguis et peu reconnaissants. À regarder ma montre surtout, attendant qu'il soit enfin l'heure de mon rendez-vous. Encore quatre heures à tuer, trois heures, enfin plus qu'une heure. Genève, ville du temps perdu et capitale de l'horlogerie, affichait tous ses plus beaux modèles derrière des centaines de vitrines. Des milliers de montres de tous prix, de toutes formes, en acier, en or, avec bracelet cuir ou métallique, chronomètre ou trotteuse, modèles femme ou homme. Toutes ces montres qui marquaient la même heure à tous les coins de rue finissaient par me donner le vertige. Il était impossible de faire cent mètres sans croiser ces noms qui revenaient sans cesse : Rolex, Blancpain, Cartier, Patek Philippe, Breitling, Audemars Piguet...

Lorsque mon rendez-vous avait lieu au bar de l'hôtel des Bergues, c'était là que je me réfugiais pour passer la dernière heure, seul devant un jus de fruits. Un jour que j'attendais mon correspondant, le barman avait posé un second jus de fruits devant moi sans que je lui aie passé commande. Devançant ma question, il m'avait annoncé sur le ton de la confidence :

— Notre cliente vous offre ce deuxième verre, monsieur, et il avait désigné une femme blonde, assise à quelques tables de moi.

Elle m'avait discrètement souri, levant sa flûte de champagne. Je m'étais approché d'elle pour la remercier, elle avait retiré ses larges lunettes fumées, découvrant un très beau visage aux pommettes hautes et aux yeux verts. Mary, c'est ainsi que je la nommerais, bien que ce ne soit pas son prénom, avait dû être d'une beauté à couper le souffle dans sa jeunesse. Je n'avais pas tardé à le vérifier, car mon intuition avait été la bonne : Mary et une célèbre actrice américaine des années cinquante ne faisaient qu'une seule et même personne. Retirée du septième art et veuve par deux fois, elle avait posé ses bagages à l'hôtel des Bergues cinq ans plus tôt. Jamais nous n'avons parlé de cinéma, d'ailleurs nous ne parlions pas beaucoup, nos rapports étaient exclusivement sexuels.

— Je vous ai déjà vu ici, m'avait-elle dit d'emblée avec son accent. Vous êtes tout seul, vous attendez un homme qui vous remet une enveloppe, ensuite vous allez aux toilettes et vous revenez finir votre jus de fruits avec l'homme, après il s'en va et vous aussi.

Je l'avais regardée, stupéfait. Elle avait tout saisi du manège. En effet, je me levais et partais avec l'enveloppe m'enfermer dans les toilettes pour vérifier mes liasses, à genoux sur le sol en marbre, usant de la cuvette fermée comme d'une table. Une fois le tout recompté et placé dans le double fond de la mallette, je revenais au bar, l'air de rien.

— J'espère que vous avez un pourcentage sur tout cet argent.

Cette fois, je n'avais rien répondu, les yeux verts m'avaient fixé comme ceux d'un chat et j'avais compris que notre rencontre ne s'achèverait pas dans ce bar. Le soir même, j'avais annoncé à Derk que je venais de rater mon avion à cause des embouteillages.

— Foutus Suisses ! avait-il répondu. Prends ce qu'il te faut dans la mallette et dors chez les Bergues.

J'avais pris une chambre à l'hôtel, mais c'est dans celle de Mary que j'avais passé la nuit.

— Entrez, avait-elle dit après que j'avais frappé à sa porte. Referme derrière toi...

J'avais refermé et m'étais avancé dans la suite jusqu'à la chambre. Elle était allongée à demi nue sur les draps, une flûte de champagne à la main. À côté du lit, il y avait un seau à glace avec une bouteille et une autre flûte.

— Déshabille-toi et sers-toi un verre... dans cet ordre-là.

Gigolo. C'était exactement ce que je devenais durant mes passages en Suisse, car Mary tenait absolument à me payer. Au lendemain de la première nuit, lorsqu'elle avait sorti de son sac des billets pour me les tendre, j'avais protesté, expliquant que j'avais eu envie d'elle et qu'il n'était pas question de rémunération.

— Je paye les autres, François, pourquoi veux-tu que je ne te paye pas toi ? m'avait-elle dit en me passant la main dans les cheveux.

— Pourquoi les payes-tu ? Tu es belle, tu n'as pas besoin de ça.

— Je ne fais qu'anticiper ce qui va bientôt se produire. Et puis, c'est beaucoup plus simple, avait-elle soupiré d'un air las. J'aime les hommes élégants, tu iras t'acheter un complet chez Saint-Laurent ! avait-elle conclu.

Avant chacun de mes passages au Cabaret du ciel, que ce soit pour poser un dossier dans un coffre ou retirer des liasses, je lui envoyais un petit mot à l'hôtel et nous nous retrouvions dès mon arrivée, directement à sa chambre. Avec les années, je saisis davantage tout le charme de ces heures que nous volions au temps des montres suisses, de cette liaison qui n'en était pas vraiment une. Après mon mariage, je ne fis plus le crochet par l'hôtel des Bergues, je passais devant l'immense façade avec un pincement au cœur. Je savais que derrière ces murs se trouvait l'une des femmes les plus sensuelles qu'il m'ait été donné de connaître. Il m'aurait suffi d'un coup de fil ou d'un petit mot déposé à la conciergerie pour coucher à nouveau avec elle. Je chassais cette pensée de mon esprit, allant même jusqu'à me convaincre, dans les derniers temps, que Mary n'était plus dans sa suite, qu'elle était partie. Mais je n'y croyais guère, Mary était à l'hôtel des Bergues pour l'éternité, entre ses flûtes de champagne et les caresses des hommes jeunes qui la suivaient au premier étage, avec vue sur le lac. Les dernières années, les rendez-vous eurent lieu exclusivement dans des bureaux, et Genève redevint la capitale du temps perdu et de l'ennui.

Je m'étais tourné vers le mur. Ma découverte était à la fois merveilleuse et navrante, car je n'avais plus le numéro de téléphone du Cabaret du ciel. Les chiffres étaient inscrits derrière l'assiette à la girafe, celle qui était accrochée en bas à gauche et dont le motif était le plus amusant : l'animal dans le bateau avec sa tête qui dépassait de la cale et qui disait dans une bulle « Je suis au roi ». Ils étaient notés de telle sorte qu'on pouvait croire à un numéro d'inventaire. À l'époque je n'avais pas besoin de consulter l'assiette, j'avais retenu les chiffres par cœur, mais maintenant... Même en fouillant dans ma mémoire, je ne retrouverais jamais un numéro de téléphone que je n'avais pas composé depuis dix-sept ans.

« Vous allez ouvrir les petits et les grands secrets », avait prédit la tireuse de cartes. Elle s'était trompée. Ma promenade dans le passé ne me mènerait pas jusqu'à Genève pour ouvrir le coffre aux cinq étoiles.

Le téléphone sonna. Sylvie venait d'éteindre les feux de La Musarde. Je lui racontai mon passage chez Chloé Coiffure et ma nouvelle coupe plus courte. En fait, c'était de ma découverte que j'avais envie de l'entretenir, du placard et de la carte postale, mais c'était impossible. Je ne pouvais pas lui raconter maintenant les histoires bancaires de Derk en Suisse. Je n'avais jamais évoqué ce sujet avec elle. Une sorte de fidélité entendue m'avait interdit de parler de cet aspect de nos relations professionnelles. Se rendre à Genève sur la journée pour y retirer de l'argent ou des papiers, cela ne regardait que lui et moi, il n'y avait rien de pittoresque là-dedans. Enfin si, il y avait bien l'aspect pittoresque lié à Mary... Mais celui-là, je ne risquais pas de le confier un jour à ma femme.

La mairie est en porcelaine. Les murs, les sols, mon bureau même sont recouverts d'une porcelaine blanche qui s'est déposée mystérieusement, comme une couche d'émail ou de sucre. Je l'éprouve du bout de l'ongle, elle est dure et brillante. Je vais à la fenêtre pour regarder la place de l'hôtel de ville, peut-être l'extérieur est-il aussi recouvert de porcelaine. Non, la place n'a pas changé, elle est ensoleillée et, curieusement, vide. Je me retourne vers mon bureau, le meuble a disparu, remplacé par une baignoire blanche à pieds de lion, Pierre-Marie Alphandon s'y baigne, tandis qu'une silhouette, dont je ne distingue pas le visage, se tient debout à ses côtés, une cruche sur l'épaule. De la cruche s'écoule de l'eau, comme une petite cascade qui paraît sans fin. Alphandon s'en amuse et passe ses doigts sous le filet d'eau. J'ai bien envie de lui demander ce qu'il fait dans mon bureau, mais la question ne sort pas. Je suis comme muet et, de toute façon, j'ai l'intuition qu'il ne s'agit plus vraiment de mon bureau et que personne ne me comprendrait.

Maintenant, je me trouve sur la place de l'hôtel de ville, le soleil m'oblige à plisser les yeux et à mettre ma main en visière au-dessus de mes arcades sourcilières. Une forme arrive en contre-jour, à l'angle gauche de la place, rue édouard-Timont, et une autre identique vient de la droite, rue Désiré-Cassant. Immenses sur leurs pattes, elles avancent comme au ralenti, toutes deux guidées par un petit homme à demi nu. Leur cou s'étire presque jusqu'au ciel. Des girafes d'une taille impressionnante, je me retourne pour chercher du regard quelques compagnons de fortune qui partageraient avec moi ce moment inouï, mais il n'y a personne. C'est l'heure de la sieste, il n'y a personne à l'heure de la sieste dans la rue. Cette constatation me vient à l'esprit et je hoche la tête lentement. Oui, bien sûr. Je me mets à sourire, dorénavant je sais ce qu'il se produit durant l'heure de la sieste : des choses étranges, des choses invraisemblables que personne ne voit. Cette fois, je les vois, et je ne pourrai jamais raconter cela à qui que ce soit car personne ne me croirait.

L'une d'elles est maintenant à quelques mètres de moi, le petit homme, dont je ne vois pas le visage et qui la guide à l'aide d'un bâton souple fait un mouvement solennel du bras pour me désigner un grand escabeau, en bois très dur et très fin. Je sais que le bois est dur et fin, je ne sais pas pourquoi je le sais, mais c'est ainsi. Des deux mains, j'en vérifie la solidité en le secouant légèrement. Il est parfaitement stable. Maintenant je monte les marches une à une, j'ai l'impression que je vais arriver au ciel. Ce n'est tout de même pas possible que cette girafe soit si haute ! Et pourtant si. Lorsque je regarde le sol, il est si loin que je distingue à peine le gardien de la girafe. J'en ai le vertige, alors je raidis mes muscles et je reste concentré pour ne pas tomber. Les mains agrippées au bois, marche après marche, je finis par arriver jusqu'à la tête de la girafe. Elle ne bouge pas, elle ne veut pas me regarder. Je glisse la main dans la poche de ma veste et j'en sors mon peigne de l'Assemblée. Je sais ce qu'il faut faire : la peigner doucement pour qu'elle retrouve une taille normale. Je commence. Les dents du peigne passent dans les poils jaunes et bruns. Je constate que la texture de son pelage est très similaire à celle d'un labrador. Elle diminue, je suis déjà moins haut. Je continue de la brosser dans le sens du poil, maintenant je peux faire de jolis mouvements de peigne sur son cou.

Je me retrouve assis par terre et la girafe est devenue de la taille d'un caniche. En me retournant, je constate la disparition de l'escabeau géant, de l'autre girafe et du petit homme. Je suis tout seul, dans le soleil, place de l'hôtel de ville, avec ma girafe miniature à mes pieds. Elle s'éloigne et fait des petits cercles en gambadant. J'entends le bruit de ses sabots sur les pavés. Je m'aperçois que le Rendez-vous de Jean Bart est ouvert, la terrasse est déployée.

Un homme boit un demi, assis dans le soleil.
Je vais lui raconter ce qu'il s'est passé. Je siffle
la petite girafe, mais elle ne m'écoute pas, elle
continue ses galopades en cercles. Tant pis,
me dis-je, et je m'approche de l'homme. C'est
Derk. Il dodeline de la tête, comme absorbé
dans une profonde réflexion.

— C'est vous, vous ne faites pas la sieste ?

— Mais non, je ne fais jamais la sieste, me
répond-il sans me regarder.

— Vous vous rendez compte de ce qui se
passe ici, pendant que les gens dorment. Vous
avez vu, ces girafes ?

— J'ai vu.

Maintenant, la petite girafe frotte sa tête
contre mon genou, je prends un sucre sur la
table et le lui tends, elle le mange au bout de
mes doigts et s'en va en galopant.

— Où sont les gens ?

— Les gens… semble-t-il réfléchir. Non, il
n'y a jamais eu personne ici, laisse-t-il tomber
après réflexion.

Derk se lève et je m'aperçois qu'il tient plusieurs laisses, six ou sept. Au bout de chacune,
une petite girafe similaire à la mienne. Il me
fait penser à ces grooms d'hôtel qui vont promener en groupe les petits chiens des clientes.
Nous marchons dans des rues désertes, les
petites girafes tirent sur leurs laisses et le
bruit de leurs sabots émet un clapotis. Nous
sommes à Genève. J'ignore pourquoi, mais je
le sais. Nous sommes à Genève en plein mois
d'août et, là aussi, la ville est déserte. Nous
passons devant une statue sur socle présen-

tant deux jeunes filles enlacées, dans le goût de Botticelli. L'une porte un bonnet phrygien, l'autre une écharpe de maire. Je déchiffre l'inscription sur le cartouche de la statue : « Triche et Trahison ». Je me tourne vers Derk, mais il n'est plus là, les girafes aussi ont disparu. Je commence à m'inquiéter, il faudrait que je rejoigne la gare pour retourner chez moi. Je me demande s'il y a des trains à Genève, en été. La ville est tellement déserte, et j'ignore le chemin.

Je me retrouve à la gare. Il y a des voyageurs, mais ils sont comme des ombres en contre-jour qui portent des valises ou des sacs. Ils semblent savoir où ils vont, mais je ne peux pas leur parler. Je finis par monter dans un compartiment, les banquettes sont en bois comme dans les vieux trains des années vingt. Je suis seul dans le wagon, je n'ai pas de billet. Autour de moi viennent s'installer mes camarades de classe, je ne distingue pas leurs visages, pourtant je sais que ce sont eux. Cela m'angoisse de ne pas avoir de billet, cela commence même à me faire paniquer, je ne veux pas avoir de problèmes avec la loi, mais surtout je ne veux pas rester dans cette gare. Je veux rentrer chez moi. Je fouille ma poche et j'en retire mon peigne qui a pris la couleur du pelage d'une girafe. Je suis fasciné par cette découverte, je l'inspecte sous toutes les coutures, le plastique est jaune, brun et tacheté, comme l'animal. C'est la preuve, me dis-je. Il faut absolument que je le garde. La preuve que des girafes apparaissent pendant que les autres dorment. Je le montrerai et tout le monde sera fasciné.

J'ouvris les yeux, le jour passait à travers les rideaux bruns. Je mis quelques secondes à me souvenir que j'étais dans l'appartement de Derk, qui n'était plus tout à fait le sien. Je me trouvais sur le canapé, j'avais dormi là, mes yeux se posèrent sur l'écran plasma éteint. À ma montre il était dix heures vingt et le soleil faisait des taches sur le parquet.

De nombreux élèves, garçons et filles, se déplaçaient, sac au dos, dans un désordre apparent. Le hall avait à peine changé, avec ses longs bancs en bois où les parents des plus jeunes enfants attendaient patiemment la sortie de leur progéniture et nouaient conversation. Je m'avançai vers le panneau du radiateur où étaient affichées sous verre les informations concernant l'établissement. La graphie de la signature de notre directeur me revint en mémoire, et aussi cette encre si particulière qui bavait un peu sur la feuille. Il ne signait jamais lui-même et usait d'un tampon reproduisant un fac-similé. Daniel faisait de même aujourd'hui. « D. Célac », entrelacé mais parfaitement lisible, débordait à son tour sur les ordres du jour et les projets du mois. Je me retournai vers le grand escalier qui montait vers les salles de classe avec sa rampe de fer forgé usée par des milliers de mains d'élèves depuis plus d'un siècle. Il me semblait plus grand dans mon souvenir, pourtant il n'avait pas bougé, tout comme la cour de récréation que j'avais traversée avant de me rendre dans le hall. Elle aussi paraissait s'être rétrécie avec les années.

L'agitation cessa, les élèves avaient regagné leurs salles de cours, les parents avaient récupéré leurs enfants. Je me retrouvai seul dans le hall avec un jeune homme qui me regardait. Il s'approcha de moi.

— Vous êtes un parent d'élève, monsieur ?

— Non, pas du tout.

Il fronça les sourcils. Je compris qu'il fallait que je donne une explication rapidement. Ces dernières années avaient vu tant d'affaires glauques liées aux enfants que la présence d'un adulte non identifié dans un hall d'école devenait immédiatement suspecte. De notre temps, on ne pensait pas à cela. Les choses avaient bien changé.

— Je viens voir votre directeur, monsieur Célac.

— Vous avez rendez-vous ?

— Non, nous nous connaissons.

Il me regarda à nouveau. Visiblement j'échappais à tous les schémas préétablis qu'il avait à gérer.

Nous entrâmes dans le secrétariat qui avait été entièrement refait. Les écrans d'ordinateur remplaçaient les machines à écrire de 1978, celles avec la boule électrique qui produisaient un son si particulier.

— Ce monsieur souhaite voir le directeur.

— Vous avez rendez-vous ? me demanda une femme âgée d'un air pincé.

— Non, je viens un peu par hasard, répondis-je. Nous étions ensemble dans la même classe avec monsieur Célac.

— Où étiez-vous ?

— Ici, je suis un ancien élève.

La réponse parut jouer en ma faveur. Peut-être cette femme aurait-elle l'immense gentillesse d'intercéder auprès de « monsieur le directeur ».

— Quel est votre nom ?

— François Heurtevent.

Elle hocha la tête.

— Je vais le prévenir, il est en réunion.

Elle me désigna un fauteuil et retourna à son écran d'ordinateur. Quelques minutes passèrent dans le silence. Je regardai les rayonnages de classeurs aux couleurs primaires : rouge, bleu, jaune. Une jeune femme entra et me salua, elle s'installa à son tour derrière un bureau.

— Oui, François Heurtevent, dit la femme âgée, vous étiez avec monsieur Célac l'année 1977-78. J'ai la photo ici.

Je me levai pour découvrir sur l'écran la photo qui était au centre de toutes mes recherches. Elle déplaça la souris et ouvrit un autre dossier, celui de nos photos d'identité. Celle-là, je l'avais perdue depuis longtemps. Tous les élèves de la classe étaient contenus dans ce fichier, répertoriés par nom. D'un clic, elle fit apparaître mon visage de dix-sept ans et me sourit.

— Le temps passe, dis-je, faussement amusé.

— On vous retrouve.

Elle fit apparaître celle de Daniel : cheveux châtains dans le cou, lourde mèche et sous-pull rouge, l'air boudeur de l'adolescent tourmenté.

— On le retrouve moins... fut son seul commentaire.

Je lui demandai de voir Marjorie Levart, elle fit apparaître une jolie brune au regard vert. « Marjorie Levart, prostituée à Metz », pensais-je en moi-même quand un bruit accompagné d'un clignotement retentit sur son bureau. Elle décrocha le téléphone.

— Monsieur le directeur, il y a quelqu'un qui souhaite vous voir, monsieur François Heurtevent, un ancien élève... Oui, très bien.

— Il va venir, me dit-elle d'un ton rassurant comme si j'attendais cet événement depuis des années et que le moment fatidique était enfin arrivé.

Je me rassis et posai les yeux sur la porte de communication entre le bureau du directeur et le secrétariat. Il n'y avait aucune raison pour qu'il ait changé de place et c'est par là qu'apparaîtrait Daniel. La porte s'ouvrit brusquement sur un homme quasiment chauve à la couronne de cheveux rasée, vêtu d'un complet noir et d'une chemise bleu ciel au col ouvert. Il portait des petites lunettes d'acier.

— François ! dit-il en souriant. Quelle surprise !

Je n'eus pas à me servir de l'excuse que j'avais préparée : je pensais lui dire que j'étais passé devant le cours quelques semaines aupa-ravant et qu'il me semblait bien l'avoir vu y rentrer. C'était pour cela que je venais à tout hasard. Mais comme c'est souvent le cas dans la vie, lorsqu'on prévoit mille réponses crédibles à une question, celle-ci ne vint pas. Daniel, tout à l'amusement de me retrouver, ne me demanda pas d'explication : je venais lui dire bonjour, c'était tout.

— Faites patienter, je suis en rendez-vous, répondait-il pour la seconde fois à l'interphone.

Nous discutions depuis une dizaine de minutes, tentant de résumer trente années de nos vies. Daniel m'avait vu plusieurs fois à la télévision où il trouvait que je passais très bien. Il y avait quelques années de cela, le cours avait organisé une visite d'élèves à l'Assemblée, il avait souhaité s'y joindre pour voir s'il pourrait m'y croiser. Un imprévu l'avait poussé à annuler sa participation. D'ailleurs, je n'y étais peut-être pas ce jour-là. Sa carrière dans l'enseignement l'avait amené à prendre la direction de deux écoles en province. Lorsqu'il s'était agi de retourner à Paris, il avait eu le choix entre un lycée et le cours Levert. L'idée de revenir ici après toutes ces années l'avait séduit. Daniel ne me parla ni de femme ni d'enfants, en revanche, il connaissait le nom et le prénom de la mienne.

— Tu es marié à Sylvie Desbruyères, La Musarde !

Et de me rappeler que Sylvie avait participé à une émission matinale pendant toute une année, où elle cuisinait devant les caméras. Elle n'aimait pas ça et encore moins refaire les prises. Finalement, elle n'avait pas renouvelé le contrat qu'elle avait avec la chaîne. Pensant à une manœuvre financière de sa part, le producteur lui avait aussitôt proposé de doubler son salaire. C'était mal connaître ma femme, l'offre avait eu l'effet inverse. Blessée qu'on puisse s'imaginer l'appâter avec de l'argent, elle avait rompu tout contact avec la télévision, n'accordant plus que de rares interviews à la presse. Une fois encore, quelqu'un me parlait de ma femme avec admiration. À chaque fois que cela se produisait, je repensais à ce mot de JFK aux journalistes : « Je suis le monsieur qui accompagne Jackie Kennedy. » À ma petite échelle, c'était bien ce qu'il m'avait semblé faire plus d'une fois.

L'interphone sonna à nouveau.

— Je vais te laisser, dis-je.

— Non, non ! Qu'est-ce que tu fais ce soir ?

Daniel m'invita à venir dîner chez lui. Bien sûr je perdrais au change, selon son expression, car il n'avait pas le génie de Sylvie, mais la cuisine était un passe-temps dont il partagerait volontiers le résultat avec moi, autour d'une bonne bouteille de bourgogne. Je proposai de me charger du vin et il accepta, me demandant de choisir un blanc car il souhaitait saisir l'occasion pour réaliser une recette de poisson.

— Donne-moi ton adresse, lui dis-je provoquant un sourire et un haussement de sourcils indulgent.

— Voyons François, l'adresse, c'est ici.

Maintenant je me souvenais, le directeur habitait l'établissement. L'appartement privé du lycée demeurait un mystère jamais résolu. En dix années de cours Levert, j'avais exploré tous les recoins du lieu sans jamais, bien sûr, avoir accès à l'appartement de monsieur Larquet, notre directeur de l'époque. Cela semblait si étrange que quelqu'un puisse vivre dans l'école, en famille, passer ses soirées au-dessus des salles vides, que j'avais du mal à me représenter l'endroit. Cette question-là aussi trouverait une réponse. Il fut convenu qu'à vingt heures, je me présenterais à la porte de derrière, et appuierais sur le bouton portant ses initiales.

Sébastien Beauchy était entouré de deux jeunes femmes, penchées tout comme lui sur un écran d'ordinateur. Que regardaient-ils avec autant d'attention ? Un « magnifique pied-à-terre de charme » ou une « maison de prestige » ? Ses cheveux blonds avaient viré au gris clair, son visage s'était empâté, mais on le retrouvait, comme aurait dit la secrétaire de Daniel Célac. Sortait-il avec Delphine Poisson ? Je n'étais pas le seul à avoir été tourmenté par cette question durant l'année du bac. Et même un peu après, il m'arrivait d'y repenser. En ce qui me concernait, je ne sortais avec personne. Ma vie sentimentale ne commença qu'avec une costumière stagiaire nommée Églantine, sur la pièce de ma mère *Le Château des folies*. Les années de mon enfance et de mon adolescence furent toutes rythmées par des titres de pièces. Son départ pour l'Amérique latine mit fin à ce calendrier insolite. Églantine habitait une chambre de bonne dans le faubourg Saint-Antoine. Notre histoire s'arrêta lorsqu'elle suivit ma mère en tournée.

Peut-être était-ce parce que je me trouvais à un jet de pierre de la Bastille que ce souvenir me revenait. Je n'irais pas sur les traces de ce passé-là. Si la chambre d'Églantine était encore nette dans ma mémoire, je serais bien incapable d'en donner l'adresse et même de reconnaître l'immeuble.

L'une des jeunes femmes sortit sans me prêter attention et s'éloigna dans la rue, le portable à l'oreille. Je me penchai sur les annonces de la vitrine. L'agence de Sébastien Beauchy était moins chic que celle de Franck Houdriette. Là où l'autre proposait des duplex sur la Seine, les appartements que l'on apercevait ici n'excédaient pas les cent cinquante mètres carrés. « De charme » et « de caractère » revenaient souvent en fin de description, masquant sûrement, derrière les deux formules, quelques déceptions à prévoir quand ce ne seraient pas de solides travaux. Je décidai de rentrer, la porte émit une sonnerie brève, une assistante vint se placer aussitôt derrière son bureau, m'indiquant que si je voulais des renseignements, je pouvais m'adresser à elle. Un seul m'intéressait, il concernait la vie amoureuse de son patron, trente ans plus tôt. Sébastien Beauchy la rejoignit, tapotant dans le creux de sa main un stylo Montblanc.

— Laure, le mail de Beaucarellier, vous y avez répondu ?

— Oui, monsieur, hier après-midi.

— Alors, c'est bon.

Il posa les yeux sur moi. Je le regardai. Il avait vraiment grossi. Le jeune homme blond avec son faux air de Steve McQueen était bien loin.

— On se connaît non ? dit-il en fronçant les sourcils.

— Oui.

— ... L'appartement de l'impasse Guémenée ?

— Non. Le cours Levert en 1978.

Il ouvrit grand la bouche sans qu'aucun son ne sorte.

— Mais oui, bien sûr... En revanche, j'ai complètement oublié ton nom.

— François Heurtevent.

— C'est ça ! dit-il brusquement avant de me tendre la main.

— Écoute... J'ai une question à te poser.

— Entre dans mon bureau...

Il me laissa passer devant lui, très maître de maison. Maintenant je ne pouvais plus reculer. Il s'installa dans un large fauteuil en cuir beige tandis que je posais ma sacoche sur mes genoux pour en extraire la photo. Je la plaçai sur son bureau puis je posai mon doigt juste au-dessus de Delphine Poisson.

— Est-ce que tu couchais avec elle ?

Sébastien Beauchy leva vers moi les yeux les plus vides qu'il m'ait été donné de voir.

— T'es quand même pas venu jusqu'ici pour me demander ça ?

— Si...

Sans me quitter des yeux, il se recala dans son fauteuil qui émit un léger grincement.

— Eh ben non, tu vois... dit-il dans un soupir. Pourtant, à l'époque, c'est pas l'envie qui m'en manquait, c'est elle qui ne voulait pas. Je me souviens, j'avais essayé de l'embrasser, un jour qu'on passait devant le square Charcot, rien à faire, elle avait protesté : « Non, non ! Qu'est-ce qui te prend ! Ça va pas la tête ! » fit-il d'une voix faussement aiguë.

Nous étions pourtant plusieurs garçons à soupçonner que ces deux-là devaient se livrer à mille coucheries en dehors du cours. Nous les voyions souvent arriver ensemble et repartir dans la même direction. À cet âge, l'imagination et les hormones gambadent à toute allure, et notre conclusion était unanime : ils faisaient semblant de rien devant nous, mais devaient se rouler des patins sous les portes cochères, dès le coin de la rue dépassé. Clément Jacquier, futur François Truffix, était un des plus convaincus.

Sébastien m'avoua qu'il avait remarqué que nous pensions qu'ils étaient ensemble. À l'époque cela le flattait beaucoup, alors il ne faisait rien pour dissiper le doute, bien au contraire. De son côté, Delphine Poisson ne s'apercevait de rien, qu'ils rentrent et arrivent ensemble deux fois sur trois était on ne peut plus normal puisqu'ils habitaient la même rue à cinq numéros de distance...

Jamais nous n'avions pensé à ça. Jamais nous ne leur avions demandé leurs adresses. Un mythe s'effondrait, j'avais presque envie de téléphoner à Clément Jacquier pour le lui dire.

Oubliant totalement l'étrangeté de ma question et la présence de la photo de classe sur son bureau, Sébastien Beauchy embraya sur ces mots inattendus :

— Mais on a quand même eu une liaison !

— Tu viens de me dire...

— Après, douze ans après... Attends, fit-il accompagnant sa réflexion d'une grimace, quatorze ans après. En 1992.

Il venait d'ouvrir son agence, qui n'était pas dans le même arrondissement à l'époque et prenait un peu tout ce qui se présentait : ainsi, le bail commercial d'un tapissier installé non loin avait échoué dans son escarcelle. Cela faisait plusieurs mois qu'il l'avait en vente et aucun commerçant ne s'était présenté, lorsqu'une « blonde », pour reprendre ses termes, avait poussé la porte de l'agence, demandant à le visiter en vue d'ouvrir un salon de coiffure. Immédiatement, il avait reconnu sa voisine de rue. Il était célibataire, elle venait de rompre et de plaquer son poste de coiffeuse chez Alexandre...

— Et puis, j'étais encore pas mal, plaisanta-t-il. Aujourd'hui j'ai beaucoup perdu, enfin, j'ai surtout beaucoup pris ! ajouta-t-il en posant ses deux mains sur son ventre.

Sébastien fit un détour dans son histoire pour développer une théorie très misogyne et toute personnelle : selon lui, les femmes qui nourrissaient leurs hommes avec des centaines de bons petits plats tout au long de l'année le faisaient exclusivement pour les garder.

— Tu comprends, le mâle étant devenu aussi gourmand qu'un vieux chat, la rupture de cette habitude serait trop déstabilisante, alors il reste auprès de sa femelle. Il reste en quelque sorte par faiblesse.

Il poussa son édifiante démonstration encore plus loin. Ces femmes étaient dans le fond très contentes de voir grossir et s'empâter leurs maris, car ils devenaient moins désirables aux yeux des autres femmes, ainsi elles étaient sûres de les garder pour elles.

— Ta femme ne cuisine pas ? demanda-t-il pour conclure sa démonstration.

— Non, répondis-je lâchement.

— Tu as de la chance, d'ailleurs tu es mince. Il n'y a que la très grande bouffe qui ne fasse pas grossir, mais bon, toi et moi on n'en mange pas tous les jours.

— Non, répondis-je pour la seconde fois tout aussi lâchement.

— Et Delphine ? tentai-je timidement après un silence.

— Delphine... Oui... fit Sébastien, les yeux dans le vague.

Désormais, il était plongé dans ses souvenirs et paraissait en définitive très content de les partager avec quelqu'un prêt à l'écouter. J'avais fréquemment approché ce côté de la nature humaine durant les campagnes : les êtres sont souvent désespérés de ne plus pouvoir partager leurs expériences avec qui que ce soit. Leurs conjoints haussent les sourcils devant des histoires qu'ils ont entendues cent fois, les enfants n'en ont rien à faire et les amis se sont évanouis dans la nature depuis longtemps. J'avais comme cela passé une journée entière dans une usine du département, on y fabriquait des chocolats de luxe et l'entreprise se trouvait dans une passe financière difficile. J'avais entendu des hommes et des femmes me raconter leur vie, certains avec des sanglots dans la voix. Leurs débuts dans l'entreprise, le souci du travail bien fait, les premières publicités à la télévision et, surtout, l'impression d'appartenir à quelque chose de concret, que tout le fruit de leur travail n'était pas vain. « Tous ces putains de chocolats, quand je faisais les courses et que je les retrouvais dans les rayons, eh bien, ils étaient un peu à moi, c'est ça qu'il faut comprendre ! »

J'avais réussi à sauver l'usine pour deux années. Après, tout fut délocalisé dans les pays de l'Est et je ne pus rien faire pour l'empêcher. Court-circuitant toutes les lignes du parti, je m'étais même rendu devant l'usine en signe de soutien aux piquets de grève de la Ligue communiste révolutionnaire où je comptais à l'époque quelques relations. Rien n'y avait fait. Longtemps, en pensées, j'ai revu l'homme aux cheveux gris qui m'expliquait, la gorge nouée, que les chocolats étaient un peu à lui. Je l'avais écouté, comme je le faisais à l'instant avec Sébastien Beauchy. Écouter les gens, c'était aussi ça mon métier.

Les écouter parce qu'ils n'ont plus que vous à qui raconter leur histoire.

Delphine lui avait acheté la boutique du tapissier et avait ouvert son enseigne. De mémoire, il m'en cita l'adresse, qui correspondait à celle où j'étais allé me faire couper les cheveux. Elle consacrait tout son temps et son énergie à son salon. Il s'était senti seul, avait commis un petit écart, selon ses dires, puis un autre. Elle l'avait su et l'avait très mal pris. Quelques mois après, l'opportunité d'ouvrir l'agence dans un autre arrondissement et dans des locaux plus grands s'était présentée. Sébastien avait quitté le quartier, l'agence, et aussi Delphine, qui s'était mariée un an plus tard, il l'avait lu dans le carnet du *Figaro*.

— C'était un moment d'égarement, notre histoire, conclut-il lorsque le téléphone sonna.

D'après la conversation, il avait oublié un de ses dossiers dans sa voiture car il ne se trouvait ni sur le bureau ni dans son attaché-case, pourtant il était parti de chez lui avec.

— Attends-moi, dit-il après avoir raccroché. Je vais chercher un truc dans ma bagnole.

Il attrapa ses clefs et sortit. Sur son bureau, je retournai un cadre en bois de loupe. On y voyait Sébastien avec la femme qui faisait de trop bons petits plats : une brune piquante, peut-être bien espagnole. Un autre cadre contenait la photo d'une petite fille asiatique, elle souriait et avait perdu ses dents de devant. Adoptée ? À moins que ce ne soit encore autre chose.

L'assistante vint me proposer un café que je refusai. Sébastien ne revenait pas. Après vingt minutes à attendre dans le silence, je repris ma photo et décidai de partir. C'était mieux ainsi.

Dans quelques années, Sébastien Beauchy pourrait raconter ma venue à quelques-unes de ses connaissances comme une anecdote pittoresque : « Un jour, il est entré dans mon bureau, il a brandi une vieille photo de classe et m'a demandé : "Est-ce que tu couchais avec elle ?" Et puis, il est parti, sans explications. Je ne l'ai jamais revu. »

Le petit bip de la porte retentit, je la poussai pour me retrouver à un rez-de-chaussée que je ne connaissais pas. Je n'avais jamais eu accès à cette partie de l'école.

— Deuxième étage ! me cria Daniel du haut de l'escalier.

À tâtons, je trouvai l'interrupteur, une lumière violente envahit la cage d'escalier. Les peintures n'avaient pas été refaites depuis des lustres, un vieux vélo rouillait dans un renfoncement devant une porte qui menait peut-être à une cave ou un débarras. J'étais sûr que ce décor n'avait pas changé depuis monsieur Larquet. J'arrivai au second devant une porte entrouverte sur laquelle je toquai.

— Entre ! J'arrive...

Je pénétrai dans l'appartement. Des murs blancs et un décor moderne, des tableaux contemporains côtoyaient un ameublement vintage en plexiglas savamment disposé sur une moquette épaisse. Rien du logement mystérieux et ancien que j'avais imaginé pendant des années. Quelque chose de net et précis qui ressemblait à Daniel. Au Daniel d'aujourd'hui, celui que je venais de découvrir le matin même, et non à l'adolescent de mes souvenirs avec qui j'avais échangé quelques quarante-cinq tours. Il apparut dans le salon les hanches ceintes d'un tablier blanc.

— J'ai le vin, dis-je en brandissant une bouteille de Chevalier-Montrachet.

Il s'approcha tandis que je la retirais de son papier de soie.

— Oh la, c'est du très bon ça... Tu as fait des folies, on va l'ouvrir tout de suite.

Je le suivis vers la cuisine où un fumet agréable de viande au vin rouge flottait dans l'air.

— Je croyais qu'on mangeait du poisson ?

— C'est spécial, c'est une recette de Gérard Besson : médaillons de lotte à la lie de vin. La sauce rappelle un peu celle des œufs en meurette, dit-il en se penchant au-dessus d'une casserole fumante.

Les verres de ses lunettes se couvrirent de buée et il les retira d'un geste sec.

— Tu vas dépasser ma femme, plaisantai-je.

— Pas de risque, dit-il en souriant avant de me tendre un tire-bouchon.

— Va l'ouvrir dans le salon... Je te rejoins avec les verres.

Un mur entier de la pièce était aménagé en bibliothèque. Des ouvrages d'art, des romans et des essais s'étiraient le long des rayonnages. Sur chaque planche, Daniel avait ajouté quelques objets décoratifs, certainement rapportés de vacances : figurines de Murano, coquillages, boules à neige. Il y avait aussi deux photos encadrées. Un instant, je me fis l'effet d'un détective ou d'un voyeur. Dans l'agence immobilière aussi j'avais regardé des cadres avec des photos personnelles qui ne m'étaient pas vraiment destinées. On apprend beaucoup sur les êtres en regardant les photos qu'ils disposent sur leur bureau : femme, enfants, parfois même animaux. La photo d'Archipattes encadrée sur mon bureau de la mairie me revint à l'esprit, je ne l'avais pas trouvée parmi les cartons des déménageurs, elle devait être restée dans ceux que je n'avais pas eu le courage d'ouvrir.

Pas de chat encadré ici, ni de femme, ni d'enfants. L'image d'un homme jeune qui n'était pas Daniel, les cheveux courts, en arrière, il portait un tee-shirt blanc et souriait à l'objectif. Jusqu'à quel point était-il plus jeune que Daniel ? Ce ne pouvait pas être son fils. Mon regard se posa sur l'autre cadre avec le même homme, debout, dans un parc, il faisait le « V » de la victoire avec sa main droite. Au mur, il y avait une troisième photo encadrée, prise aux sports d'hiver, Daniel et l'homme jeune posaient côte à côte en combinaison de ski. C'est à cet instant que je compris.

Je n'aurais rien dit à Daniel s'il n'était apparu dans l'embrasure de la porte de la cuisine, me trouvant nez à nez avec les photos. Nous nous regardâmes quelques secondes.

— Eh oui, dit-il en souriant... Je me suis posé la question tout à l'heure, je les enlève ou je les laisse ? Et puis, j'ai pensé que mon copain Heurtevent avait l'esprit ouvert.

— Tu as eu raison, dis-je en hochant la tête.

Daniel s'avança vers moi, deux verres de dégustation à la main.

— Comment s'appelle ton ami ?

— S'appelait...

— Je suis désolé.

— Il s'appelait Hervé, il est mort dans un accident de moto, il y a trois ans. Allez, sersnous un verre, reprit-il d'un ton volontairement enjoué.

Je m'assis sur le canapé d'angle en cuir blanc pour procéder à l'ouverture de la bouteille. Je levai les yeux, Daniel était resté devant la photo des sports d'hiver, un sourire énigmatique sur les lèvres. Le bouchon claqua et je remplis les deux verres.

— Trinquons, à toi François et à toutes tes élections passées et à venir !

— À ton avenir, Daniel.

Les médaillons de lotte étaient parfaits et maintenant la bouteille de Chevalier-Montrachet approchait de la fin. Daniel me parla de mademoiselle Marsille qui était devenue chargée des études secondaires, elle non plus n'avait jamais quitté le cours Levert. Elle partirait à la fin de l'année et serait très contente de me revoir, d'après lui. Moi je ne voulais pas revoir la jeune femme de ma terminale, trente ans plus tard. Nous évoquâmes les autres de la classe, à cet instant je ne lui confiai rien de mes recherches. Il se demandait bien ce qu'avaient pu devenir Clément Jacquier, le dingue de cinéma et aussi Béatrice Bricard et Gilles Dervet. Moi, j'avais les réponses à toutes ces questions et je ne pouvais rien dire. Tout juste lui confiai-je que Jérémie Pedrini était un ponte du milieu, emprisonné à la Santé depuis plusieurs années, mais cela il le savait déjà. Décidément, j'étais le seul à n'avoir pas suivi la carrière de Pedrini.

— J'ai un truc à toi... Si, si, tu vas voir. Je l'ai recherché cette après-midi et je l'ai retrouvé.

Il se leva et alla vers la platine pour retirer d'une pile un quarante-cinq tours, *Heroes*, le tube de David Bowie en 1977.

— Tu me l'avais prêté vers la fin de l'année. Après le bac, tout le monde s'est quitté, j'ai oublié de te le rendre. Le voilà, fit-il en me tendant la pochette.

Je n'avais aucun souvenir d'avoir perdu le disque de Bowie. Je me demandais si Daniel ne confondait pas avec quelqu'un d'autre quand, en retournant le disque, je trouvai écrit au stylo Bic : « François Heurtevent / David Bowie ». C'était bien mon écriture de l'époque.

— On l'écoute ? dis-je.

— Bonne idée, il y a longtemps que je n'ai pas entendu Bowie.

Il mit le disque sur la platine et vint se rasseoir. Je le regardai dodeliner de la tête aux premières mesures de la chanson.

Daniel était devenu proviseur et il écoutait du Bowie. La fuite du temps me fit l'effet d'un vertige. Non, ce n'était pas possible, je devais rêver, il n'y avait que les jeunes pour écouter Bowie. Les jeunes, c'est-à-dire les élèves. Les proviseurs étaient forcément vieux, ils écoutaient Brel ou Piaf, pas David Bowie. Pourtant la réalité était là, le temps avait passé, les proviseurs qui écoutaient Brel ou Piaf étaient retirés du circuit depuis longtemps ou même étaient morts. Les nouveaux écoutaient Bowie. C'était irrémédiable : David Bowie n'était plus un truc de jeunes.

« *I wish you could swim, like the dolphins, like dolphins can swim...* » La voix métallique et sensuelle du dandy égrenait ces couplets qui marquèrent l'année 1978.

— Tu connais l'histoire de cette chanson ? me demanda Daniel en remontant ses lunettes sur son crâne.

Immédiatement, ce geste me rappela Derk.

— Non, dis-je... Il n'y a pas d'histoire. « *We can be heroes, just for one day* », nous pouvons être des héros le temps d'une journée, c'est ça l'histoire, non ?

— Non, dit-il en avalant sa dernière gorgée de Montrachet. L'histoire est celle d'un jeune couple d'amoureux que Bowie et Brian Eno observaient tous les jours, depuis le studio Hansa. Chaque jour ils se donnaient rendez-vous au pied du mur de Berlin et s'embrassaient sous le regard des gardes. En les voyant, Bowie se mit à imaginer ce qu'il se passerait s'ils décidaient de franchir le mur. Ils deviendraient des héros... mais pour un jour seulement. Dans la chanson, il les décrit, s'enlaçant alors qu'ils tombent sous les balles : « *And the guns shot above our heads. And we kissed as though nothing could fall. And the shame was on the other side.* » Le chant de Bowie, au départ plutôt doux, évolue progressivement en un cri désespéré soutenu par la guitare stridente de Robert Fripp. Pour toute personne qui ignore ce contexte, *Heroes* peut passer pour une jolie chanson qui parle d'amour et de dauphins.

— Je ne savais pas ça.

J'imaginai monsieur Larquet dans son costume trois-pièces m'expliquer *Heroes* de Bowie et cela me fit sourire. De notre temps, on nous parlait de Shakespeare, c'est lui que l'on déclamait avec l'accent. Soudain, j'eus l'envie de revoir les couloirs du lycée, de monter l'escalier que je n'avais pas pu franchir le matin, de me poster devant la porte de notre salle de cours. De me retrouver trente ans en arrière, dans une époque où David Bowie était encore synonyme d'avant-garde et n'intéressait personne de plus de vingt-cinq ans.

— Daniel ?

— Oui.

— Je voudrais me promener dans le lycée.

— En pleine nuit ? Comme un fantôme ?

— C'est exactement ça, comme un fantôme...

Le disjoncteur du lycée était éteint tous les soirs par le surveillant général et il se trouvait de l'autre côté du bâtiment. Si j'avais l'âme romantique, selon les paroles de Daniel, nous pouvions faire une promenade à la bougie. Il alla chercher deux candélabres d'argent, dignes de ceux que Jean Valjean avait dérobés à monseigneur Myriel dans *Les Misérables*. Il avait chiné ces deux pièces chez un brocanteur proche du lycée mais ne s'en servait qu'occasionnellement pour des dîners de Noël ou du nouvel an. Il alluma une à une les bougies, prit un gros trousseau de clefs et nous partîmes dans les couloirs.

— On se croirait dans un film de Cocteau, dis-je, tandis que j'avançais le bras tendu, projetant la lumière de mes huit bougies sur les murs.

— Ou dans *Les Disparus de Saint-Agil*, plaisanta Daniel qui me suivait de quelques pas.

La cour était plongée dans l'obscurité, des fenêtres on pouvait deviner les bourrasques de vent qui balayaient les feuilles dans la nuit. Le parquet gris craquait sous nos pieds.

— Toujours tout droit ? hésitai-je, car je ne me repérais pas du tout dans cette aile de l'établissement.

— Jusqu'à la porte au bout du couloir, après, tu vas te retrouver.

Je passai devant des bibliothèques vitrées qui contenaient des livres de mathématiques. Sur ma gauche, des radiateurs étaient disposés sous chaque fenêtre. J'étais là sans être là. Je finissais par me dissoudre dans le décor, ne plus rien ressentir. J'étais devenu spectateur. Je voyais François Heurtevent, un chandelier à huit branches d'argent à la main dans les couloirs obscurs de son lycée de jeunesse et j'avais du mal à y croire. Tout comme j'avais du mal à croire que le même Heurtevent habitait l'appartement de Derk, seul, loin de sa femme et de Perisac.

« Tout cela pour une élection », me dis-je en arrivant au bout du couloir.

Une fois la porte franchie, je compris que nous étions au deuxième étage. Les portes des salles de classe, les unes à côté des autres, dans la demi-pénombre, se succédaient le long des murs. Toujours dans ce bois sombre aux couches de vernis ajouté année après année en dépit de toutes les règles de la menuiserie. Ce vernis qui leur donnait un aspect poisseux. Une odeur de poussière se dégageait de l'étage. Mes années de lycée sentaient la poussière humide.

— Tu vois, dit Daniel, rien n'a changé.

Je ne lui répondis pas, j'écoutais le bruit de mes pas sur le sol. Cette résonance que je n'avais pas entendue depuis trente années. Ces lieux que j'avais vus des milliers de fois et qui n'existaient plus que dans mon souvenir, j'y étais comme on entre dans un rêve. J'avançai vers l'escalier qui menait au premier étage, je finis par croire que j'allais me trouver nez à nez avec le François Heurtevent de dix-sept ans. Au détour d'une ombre, il apparaîtrait dans la lumière des bougies et me regarderait effaré.

À ma gauche, il y avait l'ascenseur des professeurs, ceux-ci ne l'ouvraient qu'avec une clef carrée qui faisait office de poignée, chacun la portait à son trousseau personnel.

— Il y a toujours des clefs carrées pour l'ascenseur ? demandai-je à Daniel en me retournant.

En réponse, il brandit son trousseau, dégageant une clef polie de forme carrée.

Je posai ma main sur la rampe d'acier glacé et descendis les marches beiges. Étaient-elles de marbre ou de pierre ? Je n'avais jamais su, et ce n'était pas cette nuit-là que j'aurais la réponse. Arrivé au premier, j'avançai plus rapidement vers les portes. Si ma mémoire était bonne, celle de notre salle de classe se trouvait tout au bout, près de l'escalier qui menait directement au hall. Voilà, c'était ça. Je m'arrêtai devant le bois vernis où se reflétaient les flammes de mes bougies. Je restai là, immobile. Trente ans s'étaient écoulés depuis que je m'étais placé ainsi devant cette porte. À droite, il y avait toujours le radiateur et l'extincteur d'incendie où les garçons se tenaient durant les intercours pour raconter des âneries sur les filles. Elles, se rendaient à l'autre bout du couloir, sous l'autre radiateur et l'autre extincteur pour raconter des sottises sur nous.

Daniel introduisit une clef dans la serrure. Il poussa la porte et me laissa entrer le premier. Je n'avais rien oublié de notre salle de cours. 1977 était la semaine dernière, en fait je n'avais jamais bougé de là. Mon père était toujours dentiste, ma mère répétait une de ses pièces farfelues et demain matin, je serais en cours. Je devais rêver, j'allais me réveiller dans mon lit, et j'aurais dix-sept ans.

Les fenêtres, le tableau noir, rien n'avait vraiment changé, excepté quelques posters de l'Éducation nationale punaisés ça et là.

— Ça, c'était ma place, dit Daniel en se dirigeant vers une table. Toi, tu étais là-bas.

Je me souvenais très bien où j'étais : sous la première fenêtre. J'allai m'y asseoir.

Les tables en bois avaient été remplacées par des tables en formica couleur crème. Les chaises aussi étaient différentes. Les nôtres possédaient des armatures en fer recouvertes d'une sorte de vernis qui verdissait le métal.

Je me tournai vers Daniel. Lui aussi s'était installé, tout comme moi, avec son candélabre posé sur sa table.

— S'ils savaient… fit-il, amusé.

— Qui ça ?

— Tous les autres, dit-il en désignant la salle d'un geste large, s'ils savaient que nous sommes dans la classe, toi et moi, cette nuit.

Je pointai le doigt vers une table du premier rang.

— Franck Alèsse et à côté de lui Jérôme Auberpie, dis-je.

Daniel fit de même en pointant du doigt la table devant lui :

— Aude Gerfon et Cédric Pichon.

— Sébastien Beauchy, dis-je en montrant une place.

— Jérémie Pedrini, fit Daniel en désignant le fond de la salle.

— Et à côté de lui, Jean-Marc Lacaze.

— Delphine Poisson, fit Daniel en montrant une chaise vide au milieu de la salle.

— À côté, ses copines, Béatrice Bricard et Pascale Genvrier.

Nous arrêtâmes l'énumération. Dans le silence, les flammes faisaient danser des ombres au plafond.

— Au fait, tu avais un coup de cœur pour une des filles de la classe ?

— Pas vraiment, répondis-je. Il y en avait des jolies, mais amoureux non, je ne crois pas.

Allais-je oser la question : « Et toi ? » Au point où nous en étions, je la posai.

— Oui, dit-il doucement.

— Qui ? tentai-je timidement.

Il me regarda fixement avec des yeux amusés et tristes.

— Ça n'a pas d'importance, murmura-t-il.

À lui, j'allais dire la vérité, il m'avait fait confiance en ne me cachant pas qu'il aimait les hommes.

— En fait, je vous recherche tous, dis-je lentement. Je ne suis pas là par hasard, j'ai retrouvé la photo de classe. Je veux savoir ce que vous êtes devenus.

Daniel me regarda en plissant les yeux, un sourire se dessinait sur son visage.

— Tu en as déjà retrouvé certains ?

— Oui.

Je sentais qu'il avait envie de me demander ce que je savais et j'étais prêt à lui raconter que Delphine et Sébastien avaient eu une histoire quatorze ans après, qu'elle était coiffeuse, que Clément était réalisateur de films x, que bientôt j'irais voir Jérôme Auberpie devenu prêtre, que Marjorie Levart était prostituée à Metz, qu'en sortant du lycée je me rendrais au spectacle de Gilles Dervet, que je le regarderais exécuter ses tours sans me présenter à lui.

— Non, ne dis rien... C'est ton secret, fit Daniel en posant un doigt sur sa bouche.

Je l'avais laissé en haut des marches. Sur le pas de sa porte, il m'avait fait penser à une sorte de gardien, et c'était ce qu'il était. Le gardien de nos souvenirs. Dans ses archives, il possédait nos photos de classe, nos photos d'identité, nos bulletins scolaires, nos dates de naissance comme nos adresses de l'époque, qui étaient celles de nos parents. Des vieux classeurs convertis en fichiers informatiques, que personne ne lui demanderait jamais d'ouvrir et qui dormiraient encore longtemps dans les cartons d'une cave et sur le disque dur d'un ordinateur.

Alors que je me rendais au Lapin jaune, des hommes en blouson de cuir me proposèrent d'aller voir des femmes nues dans des bars ou sur des pistes de dancings louches. Ils m'accostaient dans la rue, tous les trente mètres, avec des airs de comploteurs. Le regard de Daniel me restait à l'esprit, ce regard quand je lui avais demandé si, de son côté, il avait eu un coup de cœur pour un garçon dans la classe. Ce regard fixe et triste faisait soudain écho à ses paroles lorsqu'il avait ouvert brusquement la porte de son bureau : « François ! Quelle bonne surprise ! » Écho à son invitation à dîner, à sa connaissance de ma vie politique et privée et à sa mémoire de mes prestations télé. Je marchais dans la nuit sans oser m'avouer ce qui paraissait pourtant l'hypothèse la plus crédible : ce garçon qu'il avait aimé en secret, c'était moi.

— Gilles l'agile est souffrant, il est remplacé par Pedro l'incroyable, m'informa une jeune fille à l'entrée du cabaret.

Je considérai cela comme un rendez-vous manqué, il ne fallait pas forcer le destin et plutôt revenir un autre soir. Je me contentai de regarder des photos de Gilles Dervet affichées à côté du menu : il reprenait le costume et la fine moustache de Mandrake, promettant de fabuleux tours de cartes, ce qui me rappela la petite séance avec l'amie de ma fille. Ses prédictions n'étaient pas si fausses, je revenais en arrière et faisais des rencontres. « Je retrouve mon royaume… » avait-elle dit. Si je le retrouvais, je serais à nouveau maire de Perisac et je dormirais chez moi, je ne serais pas seul sur les trottoirs de Pigalle sous les néons des sex-shops et autres live-shows. L'homme aux cheveux blancs, le traître…

« Il a triché, c'est pour ça qu'il n'y a que deux cent deux voix d'écart », me dis-je en m'arrêtant dans la rue. S'il avait triché, cela se serait su et d'ailleurs comment s'y serait-il pris ? J'étais le maire en place et il n'avait aucun accès privilégié au scrutin. C'était impossible.

Je repris ma marche, tentant de chasser cette pensée de mon esprit. En levant les yeux sur le boulevard de Clichy, le numéro du Cabaret du ciel me revint : cinquante-trois. Où était ce numéro-là ? Le trouver me parut une bonne conclusion pour cette soirée.

Un immeuble moderne sans balcon ni fenêtres s'élevait à l'endroit exact de la carte postale. En bas, il y avait un Monoprix dont le néon rouge se reflétait sur le trottoir. Une grande vitre, rouge elle aussi, remplaçait la porte du Cabaret du ciel, l'entrée de la grande surface correspondait à celle du Cabaret de l'enfer. Les fantômes devaient avoir du mal à se faire une place entre les produits vaisselle et le Nescafé. « Profitez des promos cinq étoiles », annonçait un panneau orange fluorescent.

Le lendemain, mon sommeil s'était singuliè-
rement amélioré. Le Stilnox avait l'effet particulier de vous endormir comme une souche
pour vous faire lever de bon matin.

Mon emploi du temps continuait de s'organiser.

Pour Marjorie Levart, il me fallut appeler deux numéros. La fiche d'Armand n'en
contenait qu'un. Le second était un portable
fourni par le répondeur du premier. « Brune,
élancée, quarante-trois ans, je me prénomme
Candice, je ne me déplace jamais, je reçois sur
Metz des hommes élégants et corrects afin de
passer des moments agréables. Je n'accepte
ni la soumission, ni la domination et aucune
déviance. Mes prestations sont de deux cents
euros l'heure, quatre cents les deux heures, la
nuit est à discuter en direct. Si vous souhaitez
me joindre, vous pouvez composer… »

J'avais composé le numéro de Marjorie qui
se nommait désormais Candice et avouait
quarante-trois ans au lieu de ses quarante-huit.

— Oui ?

— Bonjour, je souhaiterais vous rencontrer, je serai de passage à Metz, vendredi prochain.

— Quelle sera votre heure ?

— Disons, dans l'après-midi, vers quinze heures.

— Très bien, vous me rappellerez à ce même numéro vers quatorze heures trente, je vous donnerai mon adresse, je suis dans le centre-ville. Au revoir.

Elle avait raccroché, sans plus de précisions ni d'amabilité. Peut-être était-ce la procédure classique. Je débutais dans ce domaine. Bien évidemment, je n'avais aucune intention de passer une heure de volupté avec Marjorie. Pour cela aussi, il faudrait que je trouve une excuse crédible afin de la payer, de la rencontrer sans pour autant consommer. Journaliste ? Peut-être pouvais-je me faire passer pour un journaliste en train d'enquêter sur son métier. L'idée demandait réflexion.

À Sylvie, j'avais raconté mon dîner avec Daniel Célac. Elle suivait cela de loin, avec attention, et m'écoutait comme on écoute les personnes âgées vous raconter une promenade aux mille détails, en faisant semblant d'y trouver le même intérêt qu'elles.

— J'ai l'impression que je ne fais pas tout cela pour rien. J'ai l'impression qu'il y a un but mais que je ne le connais pas.

— C'est la fille qui tire les cartes qui te donne cette impression ?

Je n'avais pas su quoi lui répondre. Oui, bien sûr, mais ce n'était pas que cela. En fait, j'éprouvais le sentiment des débuts de campagne, lorsqu'une immense mécanique se met en place. Que chaque jour elle se structure davantage et augmente de vitesse. Cette machine abstraite qui se construit pièce après pièce, presque d'heure en heure et qui a pour nom le destin.

Si Derk était passionné par l'histoire de l'art et la porcelaine en particulier, au point de dépenser des sommes considérables chez les antiquaires, je n'avais pas, moi, ce genre de lubie. Les salles des ventes m'étaient étrangères, quant aux achats que j'avais pu effectuer chez les brocanteurs, ils se comptaient sur les doigts d'une main et n'avaient jamais concerné que le mobilier. Quelques rares fois, je m'étais promené avec ma mère sous les arcades du Palais-Royal et avais posé mes yeux sur de très anciens et coûteux objets derrière les vitrines des galeries, mais ce n'était guère allé plus loin. Ma mère était plutôt attirée par les tenues anciennes que l'on trouvait chez Didier Ludot. Elle avait déniché dans ce luxueux magasin plus d'un accessoire pour ses pièces.

L'entrée de Drouot, sorte de hall moderne avec ses escaliers mécaniques qui montaient ou descendaient vers les salles, n'avait rien d'attrayant. Je cherchais l'étude Pierson-Delmas-Vadrier ; une jeune fille, derrière un petit bureau, m'avait indiqué le premier étage.

Il me semblait que tous les gens que je croisais étaient d'immenses érudits, marchands ou amateurs, et que moi seul étais un parfait néophyte. La salle de Pierson-Delmas-Vadrier regorgeait d'objets des XVIIIe et XIXe siècles. Dans les vitrines, on trouvait des articles patinés par le temps, encriers, tabatières, flacons de sel, statuettes en bronze, cachets. Au mur, des tableaux présentaient des scènes à l'antique ou des natures mortes. Des cartels recouverts d'écaille ou en bronze doré étaient disposés à touche-touche sur de grandes étagères de velours rouge.

Une immense enseigne de fer forgé me fit aussitôt penser à celle de La Musarde. Celle-là aussi possédait une tête de lévrier, mais se terminait par une très grande clef recouverte d'or. Au centre de la salle, on avait rassemblé des meubles : chaises, commodes, vitrines en bois de rose, ainsi qu'un immense bénitier d'église. Un coffret contenant deux pistolets retint mon attention, certainement avait-il servi à un duel. On pouvait se prendre à rêver devant tous ces objets, à leur imaginer une histoire et parfois même la retrouver, à force de recherches et de documentation.

Le monde de Dominique Pierson m'était apparu comme extrêmement romantique. Il vivait dans le passé, entouré d'objets anciens qui, s'ils pouvaient parler, raconteraient mille anecdotes sur l'histoire de France. En voilà un qui exerçait son métier par passion et n'avait sûrement nul regret de la voie qu'il avait prise, au contraire d'un Clément Jacquier qui, malgré tout, devait parfois en avoir assez des filles nues et des scénarios indigents de ses productions érotiques.

Dominique Pierson était installé derrière un bureau recouvert d'un drap rouge et dictait un texte à une assistante. Il tenait entre les mains une feuille qu'il déchiffrait avec une grimace sûrement due à ses lunettes demi-lunes de presbyte. La jeune fille notait aussitôt ce qu'il lisait dans le catalogue. Pierson avait les cheveux beaucoup plus courts que trente ans auparavant, légèrement gris aux tempes, tout comme moi. Contrairement à Sébastien Beauchy, il n'avait pas pris une once de graisse.

Sous la table, je vis sa jambe battre la mesure, signe d'agacement. Il leva les yeux vers la salle et, instantanément, je retrouvai sur son visage cet air de mouette en colère qu'avait figé la photo de classe. Un homme âgé qui portait un sonotone s'approcha de lui et lui parla si fort que j'entendis la conversation.

— Les petits bronzes de Vienne, le lot quarante-cinq ! Quelle en est l'estimation, maître ?

Dominique Pierson, l'air excédé, prit le catalogue des mains de la jeune fille, le feuilleta brièvement et annonça le prix à voix haute. L'homme hocha la tête avec une moue signifiant qu'il trouvait ça très cher, puis tourna les talons. Pierson leva les yeux au ciel. Il allait reprendre sa liste d'annotations avec son assistante lorsque ses yeux se posèrent sur moi. Il grimaça puis haussa les sourcils.

218

— ... Heurtevent ? me dit-il, tandis que je m'approchais de lui.

— Tu te souviens de moi...

— Bien sûr, on était en classe ensemble, en première et terminale au cours Levert.

Nous nous serrâmes la main.

— Qu'est-ce que tu fais ici ? demanda-t-il avec un sourire ironique.

— Un tour, comme ça, je ne viens jamais à l'hôtel des ventes, dis-je.

Un bruit sourd lui fit tourner la tête.

— Ne touchez pas les cadres ! cria-t-il. Vous demandez aux commissionnaires ! J'en ai assez, ajouta-t-il à l'intention de la jeune fille, on reprendra ça après.

Il posa son catalogue et se leva.

— Ces sièges... ce sera ma mort, gémit-il en se massant le dos.

— C'est merveilleux, tous ces objets anciens... m'exclamai-je, accompagnant mon propos d'un geste de la main qui embrassait toute la salle.

Pierson me regardait fixement, un masque douloureux sur le visage.

— Tu trouves ?

— Oui, repris-je, un ton en dessous car je sentais bien que l'enthousiasme n'était pas le maître mot de sa journée. Mais je ne connais pas bien tout cela. Je ne suis pas collectionneur.

— Tu as de la chance, fit-il en se rapprochant de moi.

Puis il m'entraîna par le bras vers un des angles de la salle.

— Regarde-les tous, reprit-il. Les marchands, qui ne pensent qu'au bon coup qu'ils vont faire en revendant le truc cinq fois le prix, et les collectionneurs qui seraient prêts à mettre la pension alimentaire de leurs enfants dans un des lots. Je ne peux plus les voir, ajouta-t-il dans un souffle.

J'étais devenu un confident de hasard, qu'il ne reverrait pas de sitôt, et voilà qu'il déversait sur moi toute sa rancœur envers son métier. Il avait repris la charge de son père, mais sans manifester aucun intérêt pour les objets anciens et les tableaux. Il se définissait comme complètement incompétent dans son métier. Narquois, il m'avait confié qu'il n'était pas le seul, mais qu'heureusement il y avait les experts. Tous ces bibelots, tous ces meubles de cent, deux cents, voire trois cents ans d'âge et même plus, lui donnaient la nausée. Ils passaient de main en main depuis des siècles, et faisaient tous les cent ans un tour dans cette douane qu'était l'hôtel Drouot, pour repartir vers d'autres propriétaires et d'autres aventures dont Pierson se moquait éperdument. Il s'étonnait encore qu'il y ait autant de gens à Drouot tous les jours.

Il avait passé son enfance à écouter des histoires d'enchères chez ses parents et la malédiction avait voulu que ce soit lui, finalement, qui les monte.

— Moi, ce qui m'intéressait, c'était l'informatique, pas toutes ces vieilles saloperies...

L'informatique des pionniers, celle de la fin des années soixante-dix. Il n'avait pas pu y faire carrière, il aurait fallu partir aux États-Unis, faire des rencontres, peut-être aussi avoir plus de talent, reconnut-il dans un haussement d'épaules.

— Cédric Pichon, par exemple, me dit-il avec amertume, lui a réussi ! Tu ne te souviens pas de lui, pourtant il était avec nous l'année du bac. Évidemment, ça doit te paraître loin tout cela, moi, j'y repense souvent.

Dominique ne se doutait pas à quel point j'y repensais souvent moi aussi, surtout ces derniers temps. Cédric Pichon figurait bien sur la photo de classe et sur la liste d'Armand, mais je n'avais pas prêté plus attention que cela à lui. Il était un peu comme Stéphane Crestin et Éric Larmier, il faisait partie de ceux que je ne reverrais peut-être pas. Je n'avais rien à lui dire à l'époque. Lui n'avait rien à dire à personne, il ne parlait que lorsqu'un professeur l'interrogeait et s'isolait toujours durant les intercours. Distant, sans pour cela qu'il y ait une quelconque morgue dans son attitude. Armand avait noté qu'il était concepteur de jeux vidéo. Le très discret Cédric Pichon avait visiblement bien plus marqué la mémoire de Pierson que la mienne.

— Qu'a-t-il fait de si étonnant, Cédric Pichon ?

Dominique Pierson hocha la tête en me regardant.

— Évidemment, toi t'es dans la politique, le jeu vidéo c'est pas ton truc.

Il ne m'en avait pas touché un mot jusque-là, Dominique savait donc très bien ce que j'étais devenu.

— ... Moi c'était le mien de truc, avec les programmes. Toute cette nouveauté qui se mettait en place, je la sentais dans ces années-là. C'était palpable, les grands réseaux, l'Internet. Si tu t'y intéressais un peu, tu savais que c'était pour bientôt. C'était ça la grande révolution, pas vendre des vieilles aquarelles jaunies, un marteau à la main...

Pierson laissa un silence s'installer, il fixait une vitrine le regard vide.

— Regarde, poursuivit-il en s'approchant.

Je le suivis et posai à mon tour les yeux sur l'étagère. Il y avait une collection de petites figurines de chiens de toutes espèces, en émail, en porcelaine, en bronze peint... Une bonne cinquantaine.

— La personne qui devait tenir cette collection est sûrement décédée, les héritiers vendent. C'est moi qu'ils viennent trouver... Les chiens, fit-il avec dégoût.

J'avais laissé maître Pierson à ses sombres réflexions. Il y avait donc plus désabusé que moi. Pas une minute je n'avais pensé qu'on pouvait exercer ce genre de métier sans l'aimer passionnément. Quant aux rêves informatiques de Pierson, je les avais toujours ignorés jusqu'à aujourd'hui. Il faudrait que je me penche, juste par curiosité, sur le parcours de Cédric Pichon, qui visiblement était une référence pour tous les passionnés d'informatique et de jeux vidéo.

Je terminai ma visite de Drouot en passant devant quelques salles dans lesquelles j'entendais les marteaux claquer. Les spectateurs se tenaient debout jusqu'aux portes, certains privilégiés étaient confortablement assis et annotaient leur catalogue.

— Du même lot, toujours séparé sur demande, une assiette à la girafe, d'époque Charles X, très belle faïence des Islettes, on la voit avec son guide africain. Mise à prix... Mille euros ! Mille deux cents... Mille quatre cents... Mille six cents...

Je m'avançai, en bousculant le moins possible les gens situés au fond de la salle, qui me lancèrent malgré tout des regards courroucés. Un gros homme vêtu d'une veste noire à col rouge tenait l'assiette entre ses mains et la présentait au premier rang.

— Mille huit cents... Deux mille, j'ai preneur à deux mille ! annonça le commissaire-priseur.

À ce moment, je bousculai carrément une femme en manteau de fourrure afin de rentrer dans la travée et de me rapprocher de l'assiette. J'en avais le cœur battant. Non, je ne me trompais pas, c'était l'une des assiettes de Derk. Je la reconnaissais avec sa girafe, sur un pont de Paris.

— Deux mille !

Le marteau s'abattit. Je regardai le commissaire-priseur, les experts, la salle, sans savoir quoi faire. Je venais de la rater. On ne pouvait donc rien faire pour moi ? Que faisaient-elles là, les assiettes de la rue de Bourgogne.

— Toujours du même lot, une autre assiette à la girafe, faïence de Wally, amusante celle-là. L'animal est dans un bateau, sa tête dépasse. « Je suis au roi », peut-on lire dans une bulle. Prémices de la bande dessinée. Mille cinq cents pour celle-ci.

— Moi ! hurlai-je en levant la main.

— On vous a remarqué, me dit le commissaire-priseur, narquois. Mille sept cents, deux mille à gauche.

— Deux mille deux cents ? me demanda-t-il.

— Oui, oui, moi !

— Deux mille quatre cents... Deux mille six cents, deux mille huit cents à droite... Trois mille... C'est vu à trois mille ? « Je suis au roi », eh bien c'est vous le roi, elle est à vous ! ajouta-t-il avant d'abattre son marteau. C'est fini pour ce lot séparé, nous passons aux tableaux... Table d'expert s'il vous plaît, sur cette très belle pochade de Vuillard...

Les mains tremblantes, je composai mon code de carte bleue à côté de l'estrade du commissaire-priseur.

— Mais d'où viennent-elles ? Combien y en avait-il ? Qui les vend ? demandai-je en assaillant le jeune homme qui rédigeait mon bon d'achat.

Il ne put me répondre que sur le nombre d'assiettes vendues : vingt-huit. Toutes les assiettes de la rue de Bourgogne venaient de passer en vente.

Je récupérai mon assiette auprès d'un homme, lui aussi vêtu d'une veste noire à col rouge. Il me l'avait sommairement emballée dans du papier bulle, puis glissée dans un sac. En ressortant de l'hôtel Drouot, j'étais comme groggy. Comment Dominique Pierson pouvait-il détester à ce point son métier et l'hôtel des ventes ? Un endroit où s'accomplissait ce genre de miracle ! Je rentrai dans le premier taxi venu. À l'arrière du véhicule, je sortis mon assiette de son sac. En la retournant, je lus les chiffres inscrits à l'encre indélébile.

— Alors, on va où monsieur ?

J'allais lui répondre quand mon regard tomba sur une cabine téléphonique à l'angle du boulevard.

— Nulle part, je me suis trompé, marmonnai-je avant de ressortir.

— Allô, bonjour je vous appelle de Paris, je suis le patron du Cabaret du ciel, me présentai-je en serrant mon assiette.

Depuis vingt ans, la ligne n'avait pas été coupée et mon appel venait d'aboutir dans Dieu sait quel bureau de Genève.

— Oui monsieur, me répondit une voix de jeune femme à l'accent allemand.

— Je n'ai pas téléphoné depuis longtemps.

— *Ja... Ja...* Je pense aussi. Peut-on vous rappeler à ce numéro ?

— C'est une cabine.

— Peut-on rappeler la cabine ?

— Oui.

— Nous allons vous rappeler monsieur.

Elle raccrocha. Je restai avec le combiné en main. Combien de temps allait-elle mettre avant de faire sonner la cabine ? Le coffre ne contenait peut-être que de l'argent, des billets qui n'avaient plus cours. Pourtant le code complètement atypique des cinq étoiles me laissait présager quelque chose de plus important qu'une simple enveloppe de billets ou un vieux dossier obsolète. Je fis un pas en avant afin de me tenir devant la cabine, espérant que personne n'aurait l'idée saugrenue de venir y passer un coup de fil. Le soleil perça à travers les nuages et inonda de lumière toute ma portion de trottoir. Je sortis mes lunettes noires. Debout, sur le boulevard, à n'attendre personne derrière mes verres fumés, je me faisais penser aux gardes du corps de Mitterrand, ceux que j'apercevais par la fenêtre de la rue de Bourgogne. À mon tour, je posais des yeux vides sur les silhouettes des passants, je scrutais le bout du boulevard ou détaillais une voiture qui avançait dans ma direction.

Je croisai les bras, sans quitter des yeux le jeune homme au blouson de laine polaire bleu qui avançait vers moi. Je me reculai dans la cabine.

— C'est libre ? me demanda-t-il.

— Non, répondis-je froidement.

À la différence du service d'ordre présidentiel, je n'avais aucun collègue dissimulé pour venir à ma rescousse.

— Quoi, c'est pas libre ? J'ai un coup de fil à passer, moi, commençait à s'énerver le jeune homme lorsqu'une idée fulgurante me vint à l'esprit.

Je plongeai ma main dans ma veste, en sortis mon portefeuille pour l'ouvrir rapidement devant lui.

— Vous êtes dans une opération de police monsieur, je vous prie de bien vouloir circuler, dis-je sans le quitter des yeux, derrière mes Ray-Ban.

Le visage immobile, le menton volontaire, je remis mon portefeuille dans ma poche. Il s'éloigna aussitôt, se retournant sur moi à deux reprises avant de disparaître au coin de la rue Drouot. Ma carte officielle de maire, barrée du ruban tricolore, ne m'avait jamais autant servi qu'à cet instant. Le téléphone sonna et je décrochai.

— Allô, bonjour monsieur... me dit une voix d'homme à l'accent traînant, je vois que vous êtes un client ancien... Comment dire... Il est gentil de reprendre contact avec nous.

— Merci, pourrais-je venir vous voir ?

— Pour sûr, je vais vous donner nos nouvelles coordonnées et nous fixerons un rendez-vous, c'est bon ?

— C'est bon, je vous écoute.

J'avais réservé mon billet d'avion sur le Net. D'après le correspondant, l'adresse avait changé, mais les coffres se trouvaient toujours au même endroit et nous nous y rendrions ensemble. Le lendemain de cette escapade genevoise, je partirais pour Metz. Avant ces deux longues journées, j'avais du temps à consacrer à Jérôme Auberpie, prêtre à Sainte-Marie-des-Batignolles.

L'église se trouvait sur une petite place, presque provinciale, et qui portait le nom d'un médecin. Place du docteur Félix-Lobligeois, un nom qui évoquait le début du siècle précédent, la redingote en velours et les guêtres en toile beige. S'il avait eu à traiter un cas comme le mien, je me demandai comment s'y serait pris ce bon docteur. De son temps, il ne pouvait prescrire ni Temesta ni Stilnox. Comment soignait-on les types comme moi autrefois ? Quelques bouillons et beaucoup de prières, ça ne devait pas aller chercher beaucoup plus loin. Je poussai la porte de l'église, qui ne ressemblait pas du tout à une église, mais plutôt à une sorte de temple blanc au fronton et aux colonnes vaguement à l'antique.

Une musique d'orgue résonnait entre les murs humides, du Bach probablement. Seul Bach arrive à créer cette dimension aérienne. Rien de pompeux ni de grandiose, juste une certaine idée de la perfection et de la beauté. J'étais sûr que c'était lui, tout en étant incapable d'identifier le morceau. Les notes montaient, la mélodie s'envolait entre les colonnes et les vitraux, je m'avançai dans la travée centrale et me retournai vers l'orgue. On ne voit jamais les organistes, ce qui donne toujours l'impression que la musique sort comme par magie de l'instrument. Plus encore, que c'est l'église elle-même qui la génère. On a dès lors le sentiment d'être le seul à percevoir la mélodie, ceux qui se recueillent au pied d'une statue, allument un cierge, ou se promènent un guide à la main paraissent ne pas l'entendre.

Je m'approchai d'une sorte de bureau vitré, entouré de grilles en fer forgé, une femme âgée y était assise, penchée sur des prospectus qu'elle triait avec lenteur. Je m'apprêtais à toquer à la porte quand je vis un polycopié affiché sur la vitre : « Confessions ce jour. Père Auberpie. De quinze à seize heures. »

Il était quinze heures vingt à ma montre et l'orgue s'arrêta. J'avais prévu plusieurs scénarios possibles avec Jérôme Auberpie mais pas celui qui consistait à m'agenouiller dans un confessionnal. Dans la travée de gauche, je m'avançai vers l'un d'eux. À n'en pas douter c'était celui où officiait le père Auberpie.

Une femme s'y confessait, agenouillée, seules ses jambes émergeaient de la pénombre. Un homme jeune en complet-cravate se tenait à quelques mètres de là, sur une des chaises en paille, la tête entre les mains. Il paraissait attendre son tour. Je m'assis avec précaution, je ne souhaitais pas qu'il m'entende et lève les yeux vers moi. Sa position avait quelque chose de si désespéré que je ne voulais pas croiser son regard, assurément lourd de mille douleurs. Rien que d'y penser me fit mettre la main dans ma poche et toucher ma boîte de Temesta qui ne me quittait plus. S'il levait les yeux vers moi, j'en avalerais un comprimé aussitôt, si nécessaire je le ferais passer avec un peu d'eau prélevée dans un bénitier.

— Merci mon père, murmura la femme.

Elle se signa puis se leva et partit sans se retourner. J'entendis ses talons claquer sur le sol de l'église, elle ouvrit la porte et sa silhouette fut happée par la lumière du dehors. Mes yeux tombèrent sur le haut de l'entrée de l'église : « Morts pour la France » s'inscrivait en larges lettres dans le marbre. La phrase que je connaissais par cœur et qui ornait les stèles de milliers de statues dans toutes les villes et les mairies de France prenait ici un autre sens. Difficile à définir et presque inquiétant. Elle paraissait désigner la grande porte elle-même, comme si celle-ci avait pour but de s'entrouvrir sur l'au-delà. Dans le fond de l'église je remarquai comme une trouée de nuages avec l'apparition de la vierge. En me penchant, je constatai qu'il s'agissait d'une niche très haute et très grande, creusée à même le mur, qui créait un effet optique à la limite du kitch.

Le jeune homme se tenait maintenant dans le confessionnal, à genoux. Je voyais le bas de son pantalon gris et ses mocassins impeccablement cirés. Que racontait-il au père Auberpie ? Et moi, surtout, que faisais-je ici ? La dernière fois que je m'étais confessé remontait à mes cours de catéchisme. Qu'avais-je pu raconter au vieux curé qui nous faisait patienter en rang d'oignons dans le couloir et nous recevait l'un après l'autre ? Je ne me rappelais plus d'aucune formule : « Bonjour mon père, je viens vous confier mes péchés. » Non, ce n'était sûrement pas cela... « Je te pardonne tes péchés, va dans la paix du Christ... » De mémoire, celle-là était assez proche de la formule finale. Après, nous nous retrouvions, ricanant bêtement au sujet de la séance avec le père, sans jamais que l'un de nous avoue les péchés qu'il venait de confier. Nous avions huit ans, dix ans, que pouvions-nous bien lui confesser ? Des sornettes assurément : j'ai copié sur mon voisin, j'ai donné un coup de pied à untel à la récréation. On lui racontait cela surtout pour lui faire plaisir.

Le jeune homme se signait maintenant et se levait. Lui aussi s'éloigna vers la porte. Rayon de lumière, puis plus rien. Le silence à nouveau. C'était à moi ? Je regardai à gauche, à droite. Oui, c'était mon tour. J'aurais bien voulu qu'il reste plus longtemps, cela m'aurait permis de réfléchir à mes péchés actuels plutôt que de me remémorer mes insignifiantes confessions d'enfant. Je fixais le petit grillage derrière lequel devait se trouver Jérôme Auberpie. De son côté, il devait m'observer, se demandant qui pouvait être ce paroissien qui avait patienté et maintenant ne se décidait pas à venir à confesse. Jérôme Auberpie lisait des bandes dessinées, particulièrement *Blake et Mortimer*. Et si Armand s'était trompé ? Le prêtre qui m'attendait était un homonyme et pas le Jérôme Auberpie du cours Levert. Non, pas de risque que les services d'Armand aient commis une telle erreur, c'était bien le garçon d'autrefois, mais simplement plus le même homme.

Je m'agenouillai dans le confessionnal. Le bois contre mes genoux me fit grimacer. Pourquoi donc les catholiques n'utilisaient pas des tapis de prière comme les musulmans ? On aurait même pu envisager une variante avec des coussins... Tandis que j'avais ces pensées, parfaitement déplacées et en dehors de toute humilité chrétienne, je posai les yeux sur les croisillons de bois sombre qui nous séparaient. Impossible de distinguer son visage, je ne voyais qu'une forme dans la pénombre.

— Vous qui êtes venu à moi, pour confesser devant Dieu vos péchés et vos angoisses, je vous écoute, mon fils, m'encouragea-t-il d'une voix douce.

— Je vous remercie, répondis-je dans un souffle.

Il y eut un long silence. Des péchés ? Quels péchés pouvais-je raconter ? Aucun ne me vint à l'esprit. Depuis mes dix ans, j'avais bien dû en commettre des péchés, plein de péchés même. Un homme politique est un véritable réservoir à péchés, pourtant, à la minute présente, je ne m'en trouvais aucun. Il n'y avait que des péchés importants qui me venaient à l'esprit : souhaiter la mort de quelqu'un, tromper ma femme, la quitter, voler l'argent de l'État... Je n'avais rien fait de tout cela. Je n'allais tout de même pas lui raconter mes histoires d'argent et de dossiers avec Derk. D'ailleurs je n'avais aucune intention de me faire absoudre pour cela. Bien sûr, il y avait des petits trafics d'influence et des combines que je pourrais raconter, mais quoi encore ? Finalement, d'être à genoux dans un confessionnal me faisait prendre conscience que j'étais plutôt un type bien. Pas irréprochable, certes, mais dans le registre des vilenies, je n'avais pas grand-chose en stock à offrir à Dieu.

— Alors, mon fils, que puis-je faire pour vous ?

— Me raconter comment on passe de *Blake et Mortimer* à la prêtrise, m'entendis-je répondre.

Je regrettai aussitôt ce que je venais de dire à un homme d'église.

— Je suis désolé, murmurai-je...

— Ne le sois pas, c'est aussi une question que je me suis posée... Tu ne m'as pas l'air bien prêt pour la confession, François, veux-tu plutôt prendre un verre de vin avec moi ?

Nous nous retrouvâmes dans la sacristie, autour d'une table de bois et d'une nappe cirée bleue sur laquelle était posée une impressionnante quantité de missels. Tout comme Dominique Pierson, Jérôme m'avait reconnu. Selon lui, si j'étais entré directement dans le confessionnal, il n'aurait pas vu mon visage et n'aurait jamais su que c'était moi. Mais que je reste indécis sur ma chaise l'avait incité à regarder à travers le grillage. Le prêtre en charge de l'église de Perisac, l'abbé Montarge, était une de ses connaissances. Lors d'une réunion à Paris, il lui avait parlé du maire de la ville et Jérôme avait reconnu son camarade de classe, sans toutefois tenter de reprendre contact avec moi.

Jérôme fouillait dans un grand buffet. Il avait les cheveux entièrement gris, en brosse, et de curieuses lunettes à monture noire et ronde comme en portaient les hommes dans les années trente. Sur la photo de classe, il avait des cheveux châtains et lisses et ne portait pas de lunettes, sûrement les avait-il enlevées. Cette coquetterie me parut soudain bien incongrue pour un prêtre. Plus encore que le changement physique, c'étaient le costume noir et la discrète croix d'argent au revers de la veste qui m'impressionnaient le plus.

— Comment as-tu su que c'était moi ? me demanda-t-il.

— J'ai lu ton nom sur les horaires des confessions.

Jérôme me regarda avec un sourire amusé.

— Il n'y a plus de vin, nous allons descendre chercher une bouteille, dit-il en refermant les portes du buffet.

— C'est le vin de messe que nous allons boire ?

— Oui, bien sûr, un verre chacun... pas plus, plaisanta-t-il en levant l'index.

Nous descendîmes des marches à peine éclairées menant au sous-sol de l'église. Prêtre... de nos jours. D'où avait pu provenir le déclic d'une telle vocation ? Delphine Poisson avait sans doute passé son enfance à coiffer ses poupées et à voler la laque de sa mère, le cas de Jérôme ne relevait pas de ce genre de schéma. Enfant, on ne rêve pas de devenir prêtre. Il faut autre chose pour vous amener à ce genre de choix. Jérôme Auberpie était un garçon réservé, mais rien en lui ne laissait présager une carrière mystique.

Nous marchions maintenant le long d'un couloir au sol de terre battue, éclairé par des lampes dites baladeuses accrochées au mur. Si ce n'était leur alimentation électrique on aurait pu croire à des flambeaux tant elles étaient disposées à égale distance, à la manière des torches d'autrefois.

— C'est immense...

— C'est un vieux quartier. Le sous-sol de l'église s'étend jusque sous le square. C'est là que nous allons. Des insurgés s'y réunissaient déjà sous la Commune. Il y a un ancien abri aussi.

Nous passâmes devant une croix géante entreposée contre un mur, puis devant une autre plus petite et un tabernacle hors d'âge qui reposait sur une table. Le couloir ouvrait sur d'autres passages, totalement obscurs ceux-là. Notre chemin paraissait sans fin.

— Nous y sommes, m'indiqua Jérôme.

Le bas de son pantalon et ses chaussures étaient couverts d'une poudre grise. Les miennes aussi. Il chercha à tâtons un interrupteur, et la lumière éclaira une pièce froide aux murs de briques contre lesquels reposaient des tuyaux d'orgue certainement hors d'usage. Il monta sur un tabouret à trois pieds afin d'atteindre une porte en bois dans le mur. Une grosse chaîne rouillée pendait au loquet. Il plongea la main dans l'obscurité pour en sortir une bouteille puis redescendit et me la montra après l'avoir époussetée du revers de sa manche. « Domaine de la Romanée Conti 1937. » Je levai les yeux vers lui.

— C'est un bon vin d'après ce que je sais... me dit-il.

Je continuai de le fixer avant de revenir à l'étiquette de la bouteille. Un bon vin, la Romanée Conti. Le plus petit et le plus rare domaine de la Bourgogne, aussi le vin le plus cher du monde. Je connaissais des amateurs qui auraient été prêts à tuer pour posséder une bouteille comme celle-là. Sylvie en avait trois ou quatre dans les caves de La Musarde. La dernière commandée par un client remontait bien à une dizaine d'années. Un Américain, qui avait décidé de faire chauffer sa carte bleue. Sylvie était allée le voir et avait modifié le menu de cet hôte en fonction du vin.

— J'ai ouvert cette porte, il y a trois mois. Je crois que personne ne l'a ouverte depuis la guerre. J'ai dû faire sauter le cadenas.

— Ces bouteilles sont ici depuis la guerre ?

— Oui… C'est la seule explication. Aucun diocèse ne peut se payer un tel vin. Je pense que quelqu'un les a cachées là pendant l'Occupation. Quelqu'un qui n'est pas revenu les chercher… ajouta-t-il.

— Et tu l'utilises comme vin de messe ?

— Oui, je me dis que si notre Seigneur m'a guidé jusqu'à cette porte et ces bouteilles, c'est aussi pour que j'y goûte un peu, dit-il dans un sourire. En plus, cela ne coûte rien à personne puisque je les ai trouvées.

— Une seule de ces bouteilles vaut toutes tes quêtes sur plus de dix ans.

— Peut-être, se contenta-t-il de me répondre en haussant les épaules.

Puis il se saisit d'un horrible tire-bouchon au manche de plastique jaune pour ouvrir l'un des plus grands vins du monde.

— Et si on restait là ? proposa-t-il. Il y a des verres sous le drap, regarde.

Je soulevai un drap blanc, pour en extraire deux verres à pied. L'apéritif improvisé aurait lieu dans ce sous-sol poussiéreux, dans cette cave oubliée qui avait servi d'abri antiaérien. Un instant j'imaginai la pièce remplie d'hommes, de femmes et d'enfants, silencieux, écoutant le bruit des sirènes et les tirs de la DCA. Parmi tous ces gens, un homme avait trouvé le moyen de dissimuler ses plus belles bouteilles dans un endroit que personne ne viendrait fouiller. Sûrement avait-il acheté le cadenas à un commerçant des environs. Il avait usé de mille ruses pour les transporter là, avait bloqué la grosse chaîne, refermé son cadenas, se disant qu'à la fin de la guerre, il n'aurait plus qu'à refaire la combinaison, ouvrir la porte et boire une Romanée Conti en trinquant à la victoire. Il n'était pas revenu, ce citoyen précautionneux qui ne voulait pas que les Allemands boivent son vin. Et le cadenas avait rouillé durant plus de soixante ans jusqu'à ce qu'un prêtre le fasse sauter. Les portes closes depuis des décennies révélaient-elles toujours des surprises ? À Genève aussi, une porte fermée depuis longtemps m'attendait.

Jérôme versa le liquide rouge et ambré comme s'il s'était agi d'un vulgaire Brouilly. Nous tendîmes nos verres en nous regardant, sans toutefois les entrechoquer. Le parfum de la Romanée Conti me vint au nez. Une fois seulement nous en avions bu une bouteille avec Sylvie. Le soir de ma première élection.

— Je me dois de répondre à ta question… Comment passe-t-on de *Blake et Mortimer* à la religion.

— Oublie ça, dis-je, gêné.

— Non, fit-il doucement. C'est une interrogation légitime : comment passe-t-on de l'amour tout court à l'amour de Dieu…

Je ne saisis pas la phrase qu'il venait de laisser en suspens et qui annonçait pourtant bien des surprises. À cet instant, j'avais les yeux fermés et respirais le parfum de mon verre : des fruits rose pâle avec une touche impalpable venue de très loin, quelque chose d'une vieille armoire fermée depuis des lustres et que l'on vient de rouvrir. La tête me tournait. Lorsque j'en bus la première gorgée, j'eus l'impression que la Terre s'arrêtait. 1937... C'est la jeunesse du vin qui me surprit le plus, avec ce parfum de framboise qui s'imposait, suivi de notes salines apaisant sa légère acidité, puis sa longueur qui était fascinante. Je levai les yeux vers Jérôme qui dégustait son verre, mais cela ne paraissait pas produire le même effet sur lui. Les neurones encore remués par la divine ambroisie, sa dernière phrase avant le silence imposé par la Romanée Conti me revint à l'esprit : « l'amour tout court »...

— Te souviens-tu de la classe ? Des filles et des garçons ? me demanda-t-il les yeux brillants. Te souviens-tu... de Marjorie Levart ?

Un prêtre encore jeune qui faisait tanguer un verre de Romanée Conti avec, en arrière-plan, des tuyaux d'orgue remisés là, comme un mikado géant aligné sur un mur de briques. L'image resterait gravée dans ma mémoire. C'est ainsi que je reverrais Jérôme pour toujours, un prêtre qui m'expliquait l'amour impossible de sa jeunesse.

— Il me suffit de fermer les yeux pour me souvenir de ses fossettes lorsqu'elle souriait, de la courbe de son nez ou de la minuscule coquetterie qu'elle avait dans le regard, me dit-il. Ces images sont encore en moi comme si c'était hier. Marjorie Levart, il me suffit de prononcer ce nom pour revoir ma jeunesse. Pour avoir l'impression d'être encore le garçon timide que j'étais à l'époque.

Jérôme me regardait mais il ne me voyait plus, j'étais devenu transparent, comme l'étaient devenus le mur, l'abri, les couloirs et peut-être même le quartier tout entier. Il fixait un point très loin à l'horizon, sur l'océan de ses souvenirs.

— Je me revois montant les escaliers, c'était l'année du bac, le jour de la rentrée. Il y a de nouveaux élèves, elle attend devant la porte, elle parle avec Béatrice Bricard et Delphine Poisson. Elle porte une jupe grise, des collants noirs et un long manteau du même gris que la jupe. Je la regarde, et là, quelque chose explose dans ma tête avec la puissance d'une bombe de plusieurs mégatonnes. Je tombe amoureux, comme je pense on ne peut tomber amoureux qu'à seize ou dix-sept ans. C'est un sentiment d'une violence inouïe et à la fois très apaisant. Comme une chute vertigineuse dans laquelle on finirait par se sentir bien. Dès que nous sommes entrés dans la classe, je me suis installé derrière elle, juste pour être le plus près possible d'elle, pour pouvoir sentir le parfum de ses cheveux, juste pour la voir...

Ce qu'il me racontait me tournait autant la tête que mon verre. Chaque gorgée apportait un message différent à la cuvée 1937, ajoutant une facette nouvelle au vin, chaque phrase de Jérôme révélait un tourment encore plus insondable que le précédent.

Selon lui, cet état amoureux avait décuplé sa timidité naturelle. Proposer à Marjorie de prendre un café avec lui n'était absolument pas « à sa portée », et il aurait préféré se changer en statue de sel plutôt que d'essayer de l'embrasser.

— C'était totalement impossible... murmura-t-il en hochant la tête, d'ailleurs mon amour n'était pas physique, dans le sens charnel du terme, non, c'était au-delà... Je ne songeais même pas à coucher avec elle. Dans mes rêves les plus fous, je me voyais juste me promener à ses côtés, la tenir par la main. Bien sûr je me voyais l'embrasser, mais ça n'allait pas plus loin.

Jérôme Auberpie s'était littéralement consumé pour Marjorie Levart.

— Une année de bûcher, me dit-il en souriant. Tu sais, c'était la plus belle fille de la classe.

Jérôme n'avait pas tort, Marjorie Levart était très jolie, mais il me semblait que Delphine Poisson l'était tout autant. Je me disais que c'était aussi une question de goût, quand il enchaîna sur le sujet. Il y a une dizaine d'années, il avait lu un livre d'un scientifique, qu'il me cita : *Biologie des passions*. Selon l'auteur, chacun de nous serait programmé pour réagir au sentiment amoureux. Dans cette carte génétique personnelle, on trouvait les critères physiques de l'être idéal recherché mais aussi tout un tas d'autres détails plus précis encore, comme sa peau ou sa voix. Jérôme s'était retrouvé dans cet ouvrage, sa passion muette pour sa camarade de classe avait une explication scientifique. Il était programmé pour tomber amoureux d'une fille comme Marjorie Levart. Ne pas pouvoir lui parler, lui dire ce qu'il éprouvait, le plongeait à l'époque dans d'immenses spleens. Spleens dans lesquels il finissait par se complaire. Avec du recul sur ces années, il notait là un romantisme exacerbé qui se doublait d'une pointe de masochisme. Il se rappelait un garçon qui venait la chercher, et que cela lui avait brisé le cœur. Marjorie Levart était inaccessible.

— Tu ne lui as jamais rien dit ?

— Elle n'était pas à ma portée, me répétat-il pour la seconde fois. Elle sortait le soir, elle racontait des histoires de boîtes de nuit. J'étais à mille lieux de cette vie-là, dit-il, toujours avec ce même sourire désabusé. Pour la séduire, il aurait fallu être un autre et je ne parvenais pas à devenir cet autre.

Il avait recopié son adresse personnelle qu'il avait trouvée dans le cahier de classe des professeurs. Durant les vacances de Noël, une matinée entière d'un samedi, il avait attendu dans un bistrot qu'elle sorte de son immeuble. Puis il l'avait suivie pendant plusieurs heures dans les grands magasins où elle avait retrouvé des amies. J'imaginai Jérôme, dissimulé derrière les portants, observant comme un détective de cinéma l'objet de tous ses tourments. Elle avait quitté ses amies et poursuivi seule sa promenade. À un carrefour, elle s'était retournée, il se trouvait juste derrière elle.

— Tiens, salut, avait-elle dit sans surprise.

— Salut, avait répondu Jérôme, tu fais des courses ?

— Oui, et toi ?

— Moi aussi.

— À lundi.

— À lundi.

Il était resté au passage clouté et l'avait regardée s'éloigner de l'autre côté du boulevard. Dans ces moments de vertige, il ne trouvait le repos que dans les églises, le silence et la lueur des cierges.

— À l'époque, je priais pour qu'elle s'intéresse à moi, mais ça ne marchait pas.

Après les résultats du bac, il ne revit jamais Marjorie Levart. L'année suivante, il tenta une histoire d'amour qui se finit mal et sur laquelle il ne souhaitait pas s'étendre.

— Je pense que certains hommes n'aiment qu'une fois dans leur vie. Je n'arrivais pas à aimer une autre fois. Dante a aimé sa Béatrice à la folie et cela sa vie durant, pourtant il ne l'a croisée qu'une après-midi. Je me faisais beaucoup penser à Dante, me confia-t-il le plus sérieusement du monde.

Des études de philosophie, il était passé aux études de théologie, puis il avait entrepris une retraite dans un monastère. De jour en jour, la lumière de l'aube, le silence et le parfum de l'encens lui avaient suggéré que sa vie était peut-être là. Hors du monde, mais pas tout à fait non plus. Dans tous les cas, loin des tourments qu'infligent les Marjorie Levart aux garçons trop timides.

— Tu vois, finalement, c'est moi qui me suis confessé, dit-il dans un petit sourire. On ne sait pas ce qu'ils sont devenus, ajouta-t-il, ni Stéphane Crestin, ni Delphine Poisson, ni Marjorie Levart…

Il reboucha la bouteille de Romanée Conti et se leva, signe du départ. Pouvais-je lui dire que l'inaccessible Marjorie Levart vendait, quelques années après, son corps pour une heure ou une nuit. D'après la fiche d'Armand, elle exerçait le métier de call-girl depuis ses vingt ans, âge de sa première et unique condamnation. Elle était passée d'une agence à une autre durant les années quatre-vingt et quatre-vingt-dix, pour s'installer à son compte à Metz et, probablement, y finir sa carrière.

— Non... On ne sait pas ce qu'ils sont devenus, dis-je en me levant à mon tour. On ne saura jamais, ajoutai-je avec assurance.

Je le tenais mon péché à confesser : un gros, celui-là, un mensonge à un prêtre. Pourtant, ce n'était pas au prêtre que je mentais mais au garçon timide, à celui qui était resté sur le passage clouté une après-midi de Noël et avait regardé s'éloigner son amour impossible, dans la foule du boulevard et dans la vie.

— Désarmement des toboggans... Vérification de la porte opposée... Veuillez attendre l'arrêt complet de l'appareil avant de détacher vos ceintures.

Genève. Je n'étais pas revenu dans la ville depuis 1991. Si tout se passait comme prévu, je serais de retour dans la soirée rue de Bourgogne et je pourrais répondre tranquillement au coup de fil de Sylvie. Je n'avais pas envie de lui mentir, lui dire qu'il faisait beau à Paris et que j'allais à un nouveau rendez-vous avec un ancien camarade, tout en marchant de long en large sur les bords du lac, le portable à l'oreille. Personne ne saurait que j'étais venu en Suisse dans la journée et c'était très bien ainsi. Cette fois, je n'avais plus ma mallette à double fond, juste ma sacoche. Le chauffeur de taxi eut du mal à déchiffrer l'adresse que m'avait communiquée mon correspondant. Il chercha sur le plan pour, finalement, s'en remettre à son GPS. Les embouteillages à la sortie de l'aéroport n'avaient pas changé et je prenais mon mal en patience, regardant par la vitre des immeubles sur lesquels mes yeux s'étaient certainement déjà posés mais dont je n'avais aucun souvenir.

Nous arrivâmes dans le centre-ville avec vingt bonnes minutes d'avance. L'adresse était la bonne, un grand immeuble de bureaux, avec un vigile en bas qui faisait les cent pas en plissant les yeux dans le soleil. Je décidai de faire un petit tour et me retrouvai aussitôt devant les vitrines des horlogers. De ce côté-là, rien n'avait changé, il me semblait même que le nombre de montres avait augmenté. Je retrouvais les noms fétiches : Blancpain, Audemars Piguet, Rolex, d'autres aussi que je ne connaissais pas. Certains modèles étaient d'un goût douteux, couverts de diamants, un luxe tape-à-l'œil qui devait plaire aux nouveaux riches de l'Est ou d'ailleurs. Je renonçai à prendre un café en terrasse d'un bistrot et retournai vers l'immeuble où j'avais rendez-vous. Le vigile me fit un léger signe de tête et la porte coulissante glissa dans un frottement. Je me retrouvai dans une entrée de marbre blanc, soudain coupé des bruits du dehors. De derrière un bureau, un jeune homme à lunettes leva la tête vers moi tandis que je m'approchais de lui.

— J'ai rendez-vous avec monsieur Verner.
— Qui dois-je annoncer ?
— Le patron du Cabaret du ciel, à Paris.
Il décrocha un téléphone.
— Monsieur Verner... le directeur du Cabaret du ciel à Paris est arrivé.

Il avait prononcé la phrase le plus naturelle-ment possible. Il esquissa un sourire de poli-tesse et m'indiqua l'ascenseur. Premier étage.

Les portes s'ouvrirent sur une immense réception, sol en parquet, murs blancs et mobilier de bureautique en bois clair. Derrière l'accueil, trois jeunes filles me souriaient, je m'approchai de l'une d'elles.

— Monsieur Verner arrive, me dit-elle avec un accent allemand. Le voici.

Je me tournai vers un homme qui s'avan-çait vers moi. La cinquantaine, les cheveux châtains courts, vêtu d'un complet gris aux reflets moirés et d'une cravate du même tissu.

— Bonjour, monsieur, me dit-il en me ser-rant la main. Je vous prie de me suivre, nous allons nous rendre dans un bureau privé, ajouta-t-il avec un fort accent suisse.

Nous nous installâmes dans une salle sans fenêtres, autour d'une table ronde, toujours de ce même bois clair. Il y avait fait porter un épais dossier ainsi qu'une boîte en acier dépoli. Il ouvrit la première chemise du dos-sier.

— Il s'agit des coffres et des comptes de monsieur André Dercours.

Je hochai la tête.

— Vous êtes déjà venu ici...

— Je suis venu à plusieurs reprises dans les années quatre-vingt et une dernière fois en 1991. Jamais depuis la mort de monsieur Dercours.

— Oui, c'était en mars nonante et un, dit-il en consultant une feuille. Nous n'avons pas été informés du décès de ce client, ajouta-t-il en annotant le bas d'une page. Le compte et les coffres désignés sous le nom « Cabaret du ciel » n'ont donc jamais été clos. Ils sont en ligne ouverte depuis dix-sept années.

— C'est-à-dire ?

— Les coffres sont à disposition du client, le montant de leur location est automatiquement prélevé sur le compte. À ce sujet, si vous souhaitez fermer le compte, il faudra m'en informer.

— Combien reste-t-il dessus ?

Il prit une nouvelle feuille.

— Environ trente mille euros.

— Laissez-le ouvert.

Je trouvais l'idée séduisante, le compte prolongerait *ad vitam aeternam* la location de coffres que personne ne viendrait plus ouvrir. Quelque chose de Derk continuerait de vivre dans la finance silencieuse de la Suisse, à la manière d'une montre dont le mouvement tournerait à l'infini bien après la mort de son propriétaire.

— Je vais vous demander d'effectuer avec moi la procédure, poursuivit le correspondant Verner en se saisissant d'une autre chemise. Je n'ai jamais effectué cette procédure... précisa-t-il en chaussant ses lunettes demi-lune, mais elle est décrite en détail par l'un de mes prédécesseurs : vous devez me remettre une carte postale ancienne...

Je posai ma sacoche sur mes genoux et sortis la carte du Cabaret du ciel. En la lui tendant, je vis que les pages de son dossier en contenaient une photocopie jaunie, certainement archivée pour référence.

Il examina ma carte, compara l'image et la retourna. Puis il lut l'écriture de Derk et posa son doigt sur la feuille afin de suivre la procédure.

— Bon pour un dîner… C'est parfait.

Il tourna plusieurs pages.

— … Le code cinq étoiles correspond à un coffre de la zone deux.

— Les coffres sont toujours là où je les ai connus ?

— Oui, bien sûr, notre adresse a changé, mais nous avons conservé les sous-sols de l'ancienne adresse, comme toutes nos lignes téléphoniques. Ce qui permet à des clients qui ne sont pas venus depuis longtemps de toujours nous retrouver, me dit-il dans un sourire. Le coffre zone deux, continua-t-il, a été ouvert pour la dernière fois en 1986.

— Vous en êtes sûr ?

— Oui, c'est noté ici. Monsieur Dercours a procédé lui-même à l'ouverture et à la fermeture de ce coffre le 17 avril 1986.

La date m'échappait, à ce moment de nos affaires, c'était moi qui me rendais en Suisse pour le Cabaret du ciel. Jamais Derk ne m'avait parlé d'un voyage éclair qu'il aurait effectué lui-même, il prétendait que cela le fatiguait et qu'il n'en avait plus l'âge.

Il ouvrit la boîte d'acier dépoli. De mon temps, elle était en bois. C'est là qu'étaient gardées les clefs, chacune correspondant à un nombre d'étoiles. De mémoire, je n'avais ouvert que des trois ou quatre étoiles.

— Il y a des clefs une et deux étoiles ? lui demandai-je.

— Non, nous commençons à trois. C'est ainsi que la procédure est désignée.

Le mot procédure revenait sans cesse dans sa bouche, avec cet accent traînant qui lui conférait un aspect étrange.

— Je vais vous accompagner...

Nous nous levâmes.

— ... Ensuite, nous reviendrons ici et nous terminerons la procédure avec la phrase que je dois inscrire sur la carte.

Je n'osai pas lui dire que la formule « Service compris » était destinée à Derk seul, et qu'il était aujourd'hui bien inutile de la marquer.

Non, je n'étais pas revenu à Genève depuis nonante et un. Peut-être la ville avait-elle un peu changé, moi je ne m'en apercevais pas. Je répondais à quelques questions que le correspondant Verner me posait par pure politesse sur le trajet vers la salle des coffres. Nous étions sortis pour nous y rendre à pied. Quelques rues, un carrefour et je me retrouvai devant l'ancienne adresse, maintenant je me souvenais très bien de cet immeuble de pierre blonde. En revanche le bâtiment moderne, à côté, ne m'évoquait rien. Le correspondant Verner m'expliqua que la construction datait de nonante-cinq. À ce moment la banque avait choisi d'emménager dans de nouveaux locaux, à quelques pâtés de maisons de là. La salle des coffres, impossible à déplacer, n'avait pas bougé, désormais on ne pouvait y avoir accès que par le parking.

L'un derrière l'autre nous descendîmes un escalier de béton. Nous passâmes une porte coupe-feu, une seconde, puis nous empruntâmes un ascenseur vers le septième sous-sol. Là encore une procédure spéciale était prévue. Il sortit de sa poche une clef électronique et la passa devant un boîtier intégré à la paroi de la cabine, sous les boutons des étages. Le bouton septième sous-sol s'alluma automatiquement.

— Sans cela, évidemment, personne ne peut accéder au septième sous-sol, me dit-il d'un air entendu.

Les portes s'ouvrirent sur un étage en tout point similaire à un parking, à cette exception près qu'il n'y avait ni box ni voitures. Nous nous dirigeâmes vers une porte devant laquelle se tenait un vigile. Le correspondant Verner lui fit un signe de tête que l'homme au crâne rasé lui rendit, puis il ouvrit la porte et nous passâmes dans un long couloir très éclairé. Je ne pouvais m'empêcher de penser au métier de ce malheureux type, debout en faction au septième sous-sol d'un parking. J'espérais pour lui qu'il y avait des roulements.

Une carte à puce dans la serrure d'une porte, la même carte dans une autre porte et nous nous retrouvâmes devant les barreaux d'acier de la salle des coffres que j'avais toujours connue. Comme dans mes souvenirs, un homme vint à notre rencontre et sans un mot nous ouvrit les larges grilles. Dans le fond de la salle un autre homme se tenait derrière des vitres, devant des écrans vidéo.

— Je vous guide au secteur deux et je vous laisserai procéder à l'ouverture du coffre, me précisa le correspondant Verner.

— Merci, dis-je en le suivant dans le labyrinthe.

Les murs étaient constitués de portes d'acier de toutes tailles, comme une consigne géante. Nous tournâmes à droite puis à gauche, avançâmes tout droit, puis bifurquâmes de nouveau à gauche. Je ne me rappelais pas que les coffres que j'ouvrais étaient si éloignés de l'entrée. Il est vrai que je n'avais jamais ouvert le coffre aux cinq étoiles.

— Voilà... dit-il en posant la main sur les plaques d'acier.

Son doigt se déplaçait de plaque en plaque. Il vérifia le numéro de série sur sa feuille et s'arrêta sur une porte aux dimensions moyennes.

— C'est ici. C'est celui-là, fit-il en se retournant vers moi.

Puis il me tendit une clef ronde et se recula d'un pas avant de conclure :

— Je vais vous attendre au bout de l'allée.

Et il tourna les talons.

La clef ronde avec les crans. Si les coffres n'étaient pas toujours les mêmes en fonction des étoiles, les clefs paraissaient toujours identiques. Identique aussi était le code de Derk pour ouvrir la porte : sa date de naissance moins le premier chiffre. « Je me retire mille ans d'un coup, ça me rajeunit », plaisantait-il. Les trois trous dans lesquels il fallait introduire la clef, le nombre de clics à compter à l'oreille. D'abord le trou de gauche, ensuite celui du haut puis le troisième plus bas, les trois disposés à la manière d'un triangle. Je commençai, prêtant attention au moindre bruit ; lorsqu'on se trompait il fallait tout remettre à zéro et cela prenait un temps fou, une fois seulement j'avais commis une mauvaise manœuvre.

Tout allait bien. Le premier chiffre... le deuxième... le troisième. Le code était bon. Quelque chose claqua dans la porte, je me saisis de la clef pour l'introduire dans la serrure centrale. La porte blindée s'ouvrit dans un souffle, lourde comme une enclume, et la lumière des néons pénétra à l'intérieur.

Deux dossiers.

L'un dans une chemise rouge, l'autre dans une chemise bleue. Pas de la même épaisseur. Ils étaient fermés par ces bandeaux de tissu que l'on fabriquait à l'époque et qui se bloquaient par une broche métallique à griffes. Sur le bleu était inscrit de la main de Derk, au feutre : « Bertrand Massoulier ». Le nom d'un homme d'affaires retrouvé mort, suicidé d'une balle dans la tête, en 1985. Sur l'autre, le rouge, le plus épais, figurait le nom de ma mère : « Marie Dava ».

Je restai debout, regardant fixement le dossier rouge. Le nom de ma mère, dans le coffre à cinq étoiles, à Genève. Je ne comprenais pas. Un dossier « Marie Dava ». Un dossier plus épais que tous ceux que j'avais apportés durant toutes mes expéditions au Cabaret du ciel. Vingt-deux ans qu'il dormait dans ces parois d'acier.

En le sortant, une photo glissa entre les soufflets et tomba à terre. Une photo en couleur me représentant dans les années soixante, avec mon tee-shirt bleu, celui avec la tête de Donald. Je ne pouvais détacher les yeux de mon visage d'enfant, car il possédait une expression que je connaissais bien, mais qui n'était pas la mienne : celle de celui qui prépare un mauvais coup... Ce menton relevé, ce sourire charmeur et ces yeux mi-clos n'étaient pas les miens mais ceux de Derk. Je me mis à trembler comme si la pièce venait de passer à moins quarante degrés, et des images mentales se télescopèrent à toute allure dans mon esprit : la chambre froide de René le boucher, la victoire de Derk à Perisac, la scène vide d'un théâtre où un machiniste en marcel blanc s'approche de moi pour me glisser : « Ta mère te cherche partout, petit », le bruit de la roulette de dentiste de mon père, enfin ma femme qui me dit : « Je suis Sylvie Desbruyères... La Musarde ». Telle une machine folle, mon esprit enchaînait des petites phrases quasi subliminales, comme sorties d'un magnétophone actionné par un épileptique. « François ? Mon homonyme... » « Louchébem... Ça veut dire boucher. Répète après moi : lou-ché-bem. » « Bonjour, je suis le patron du Cabaret du ciel. » Et Derk qui me serre contre lui le soir du second tour en 1989 : « Nous avons gagné, mon garçon ! » « Vous avez gagné. » « Mais non, voyons, c'est nous, c'est nous deux, c'est notre victoire... » « Tu as trouvé quelque chose ? Quelque chose dont tu voudrais me parler... » Jusqu'à celle de ma mère à l'enterrement de Derk : « Adieu, les secrets », et la rose blanche séchée qui tombe, qui tombe, qui tombe...

Le tremblement de ma main faisait vaciller la phrase écrite par ma mère au verso de la photo et je ne distinguais qu'une suite incohérente de mots : « ressemblez... vous... vous... sûr... Bien... vous... vous... Bien... sûr... ressemblez. »

« Bien sûr, vous vous ressemblez ! »

Je posai le dossier sur le sol et déchirai quasiment l'attache en tissu pour l'ouvrir. Des lettres, des dizaines de lettres, des centaines de lettres. La correspondance de ma mère avec André Dercours, qu'il avait archivée pendant presque trente ans, et des photos de moi, bébé, enfant, adolescent... des photos par dizaines.

Je vis la silhouette du correspondant Verner arriver vers moi comme au ralenti. Je l'entendis qui m'appelait, mais sa voix semblait venir de très loin, comme s'il était sous la mer, puis toutes les cloisons d'acier des coffres n'en formèrent plus qu'une qui se rapprocha pour me broyer.

« Comme une chute vertigineuse dans laquelle on finirait par se sentir bien », avait dit Jérôme Auberpie.

— Il va revenir à lui...

— Vous êtes sûr que ce n'est pas un infarctus ?

— Je suis sûr monsieur, c'est un évanouissement, une hypoglycémie, ce n'est pas grave... Regardez, il revient.

Le vigile au crâne rasé se tenait à quelques centimètres de mon visage, il avait des yeux bleus qui me rappelèrent ceux d'Armand. Des yeux bleu pâle comme ceux des loups. On m'avait installé sur un fauteuil en cuir, tout près des écrans vidéo. Je tournai la tête vers le visage du correspondant Verner qui mordillait nerveusement sa branche de lunettes.

— Vous nous avez fait une belle frayeur, me dit-il avec son accent traînant.

Je n'avais pas la force de lui répondre. Je plongeai ma main dans la poche de ma veste, le moindre mouvement me faisait mal, comme si j'étais un grand brûlé et que ma peau réagissait au contact du tissu. J'en sortis ma boîte de Temesta.

— Verre d'eau, arrivai-je à articuler, désignant ma boîte.

— Qu'est-ce que c'est ? demanda le correspondant Verner, inquiet.

Le vigile regarda attentivement l'emballage.

— C'est un anxiolytique. Il a raison, ça ne peut pas lui faire de mal. Michel, apporte un verre d'eau, demanda-t-il à son collègue resté derrière les écrans de contrôle.

— Vous êtes certain qu'il doit prendre ça ? insista le correspondant Verner.

— Oui, je suis certain, répondit sèchement le vigile. J'ai été infirmier dans une autre vie.

Il posa sa main sur mon bras.

— Ça va aller, me rassura-t-il. C'est une crise d'angoisse…

Je ne savais pas si c'était une question ou une affirmation, je me contentai de hocher la tête.

Un roman d'amour, une histoire secrète qui avait abouti au plus grand des secrets : moi.

C'était cela que contenait le dossier rouge. Tout, absolument tout, des premiers billets griffonnés sur du papier à lettre à en-tête des théâtres où jouait ma mère, jusqu'à des missives provenant du Brésil, longues celles-là de plusieurs pages. « Après notre si charmante rencontre de ce jour, je serais très heureuse de vous revoir à la couturière du *Lièvre à la chasse*. Bien à vous, M. » Ainsi commençait, le 23 novembre 1959 l'édifiante liaison d'André Dercours et de Marie Dava.

« Tu as raison, laissons les secrets engloutir les secrets, nous sommes désormais trop loin l'un de l'autre et nous ne nous sommes pas vus depuis longtemps. D'ailleurs, peut-être ne serons-nous plus amenés à nous revoir. *Le Lièvre à la chasse* est si loin, mais quelle partie de campagne avons-nous faite ensemble ! Je te laisse notre fils. Peut-être parfois, une fois l'an, tard, quand ce sera la nuit chez toi, je t'appellerai et nous parlerons ensemble. Même si je ne t'écris plus, donne-moi des nouvelles, toujours des nouvelles.

Ta Marie.

PS : Ton idée de te présenter aux élections dans cette ville, pour mettre le pied à l'étrier à François, est excellente, mais ne t'épuise pas trop ! Il est le fils d'une actrice et d'un homme politique, il doit avoir des réserves pour mener campagne lui aussi ! À un de ces jours, dans la nuit des souvenirs. »

Ainsi s'achevait la dernière lettre archivée par Derk, le 13 mars 1986. Entre les deux, vingt-sept années de correspondance, de billets doux, de rendez-vous et de dîners dans les salons privés de La Pérouse. De délicieuses infamies se révélaient au fil des pages : les fameuses cartes postales envoyées pendant les tournées étaient parfois écrites à l'avance et postées sur place par une maquilleuse complaisante. Mon père et moi lisions une carte postée la veille de Dijon ou de Lyon, alors que ce même jour ma mère se trouvait à Paris avec Derk dans un discret restaurant, puis derrière les rideaux rouges de la rue de Bourgogne. Quel subterfuge insensé avait-il trouvé pour qu'aucune de ces lettres ne tombe entre mes mains à l'époque où j'ouvrais son courrier ? Une adresse différente, connue de lui seul ? Un conséquent pourboire à la concierge de l'époque ? Je ne le saurais jamais. Ma mère avait trouvé dans la vie un rôle à la démesure de ceux qu'elle interprétait sur scène. Il faut dire qu'elle y avait travaillé durant des années. Les acteurs qui se mettent à tenir dans la réalité les rôles qu'ils ont joués pour le public sont fin prêts. 1960 : elle est enceinte et le lui annonce ; visiblement, l'événement le réjouit. Je n'avais pas la réponse de Derk, bien sûr, mais la lettre suivante de ma mère était sans équivoque. On comprenait qu'il souhaitait que ce fût un garçon. Il avait déjà une fille qu'il ne voyait jamais et considérait son mariage avec l'Américaine comme une erreur. Ma mère lui répondait que les histoires d'amour n'étaient jamais des erreurs. Quelques lettres plus tard, elle reprenait une phrase de Derk, il semblait lui avoir écrit que sa fille serait comme sa mère, « une emmerdeuse et une décevante ». Plusieurs mois après, elle évoquait mon père que cette grossesse paraissait rendre taciturne, elle se demandait s'il n'avait pas des doutes. Peut-être d'ailleurs en avait-il et ne les exprimait-il pas. Dans les derniers mois cela semblait l'obséder et d'après ce qu'elle écrivait à Derk, celui-ci tentait de la rassurer. Quelque chose de brumeux flottait là-dessus, Pierre Heurtevent savait-il, ne savait-il pas, ne voulait-il pas savoir ? Cela aussi resterait sans réponse.

Elle lisait les gazettes où l'on reproduisait les articles politiques de Derk, elle écoutait ses discours à la radio. Enfin, j'arrivais au monde et là commençaient les photos. Nourrisson, bébé, enfant... sur l'une d'elles, elle m'avait dessiné au stylo les lunettes d'écaille de Derk. Je devais avoir un an, j'étais chauve comme

lui et la ressemblance n'en était que plus flagrante. Derk avait dû répondre que je finirais
président de la République, car elle reprenait
ce trait d'esprit dans une lettre suivante.

J'étais édifié. À un certain stade, la stupé-
faction se mue en un immense calme, comme
si la panique ne pouvait aller au-delà d'une
certaine limite. Parmi les lettres, je retrouvai mon diplôme du baccalauréat que j'avais
cherché partout les mois suivant sa réception. Elle le lui avait envoyé. Derk était très
content du sujet de philosophie que j'avais
choisi : « Le passé éclaire-t-il le présent ? »
D'après ce qu'elle écrivait, il semblait qu'il se
fût débrouillé, via le ministère de l'éducation
nationale, pour mettre la main sur ma copie
et qu'il l'avait lue.

La correspondance était également émail-
lée de photos d'elle découpées dans la presse.
Était-ce ma mère qui les lui envoyait ou lui-
même qui les découpait ? Mystère encore...
Il y avait aussi des programmes de ses pièces
dédicacés à Derk, suivant ses fonctions du
moment : « À mon sénateur adoré », pouvait-
on lire sur la couverture d'*Escale au château*.
« À mon ministre », pour *Les Œufs de l'au-
truche*, « À mon ex-ministre », sur la page de
garde de *La Marquise et le corsaire*, « À mon
grand député chéri », sur *Cupidon s'est trompé*.
Dans de nombreuses lettres, ma mère parlait
d'elle, sujet de prédilection pour une actrice.
Elle évoquait ses tourments, ses pièces, les
enregistrements d'*Au théâtre ce soir*. Sortie du

passé, la phrase culte de l'émission me revint en mémoire : « Les décors sont de Roger Harth et les costumes de Donald Cardwell ! » Elle s'inquiétait de mes études, se plaignait de son mari, demandait à Derk de se renseigner sur une jeune fille que je fréquentais, Brigitte Estienne, dont elle avait inscrit le prénom et le nom en lettres capitales. Visiblement, il n'avait pas cédé à cette requête.

« Il faut que tu fasses quelque chose pour notre fils, il ne fera qu'une misérable carrière de troisième rôle chez les avocats », écrivait-elle quelques mois avant qu'il ne me prenne comme secrétaire. « Je comprends que ce soit troublant de l'avoir à tes côtés tous les jours depuis qu'il est ton secrétaire », disait-elle quelques lettres et quelques mois plus tard. « Mazarine est au courant, mais François, lui, ne saura jamais, c'est peut-être mieux ainsi. Moi je ne connais pas cette fille, tu dis que Mitterrand se débrouille très bien avec cette histoire de double vie, il a de la chance, lui ! » s'emportait-elle du lointain Brésil où elle venait de partir.

D'autres lettres étaient plus bouleversantes. « Si jamais tu lui dis la vérité, je m'égorge sur scène », menaçait-elle, en 1984, oubliant qu'elle n'était plus sur scène, mais dans son feuilleton insipide de l'autre côté de l'Atlantique. La fin de la correspondance devait coïncider avec la rencontre du dentiste brésilien. La France s'éloignait définitivement, mon père nous avait quittés et Derk symbolisait pour elle l'éclat du passé et celui des rideaux rouges à jamais clos. Un monde englouti, dont ne subsistait qu'une île sur laquelle vivait un jeune homme sans grande idée de son avenir : moi. Le fils illégitime d'André Dercours.

La lecture du dossier rouge achevée, j'étais abruti aux Temesta et aux whiskys. J'avais laissé passer l'heure de mon avion. Le bar de l'hôtel des Bergues était presque désert et je n'avais rien mangé. Je m'étais réfugié là après que le correspondant Verner m'eut ramené dans son bureau afin de clore la procédure : « Service compris. » Dans l'état cotonneux où je me trouvais, je n'éprouvais plus qu'un seul sentiment, diffus mais bien présent : la culpabilité. Innocent, trompé, dupé dans toute cette histoire, je me sentais coupable, d'une seule chose : ne pas y avoir pensé plus tôt.

En échange d'un pourboire, un des concierges me chercha sur son écran un vol de nuit pour Paris. Il en restait un, je lui remis ma carte bancaire pour qu'il me réserve une place et m'imprime le billet via Internet. Accoudé au comptoir de marbre de la réception, mes yeux glissaient sur les clefs des chambres, accrochées dans leurs casiers. Je fis un signe au plus âgé des concierges et lui demandai discrètement si Mary vivait toujours à l'hôtel. Il parut hésiter à me répondre, certainement avait-elle donné des consignes durant toutes ces années pour qu'aucun importun ne vienne la demander. Même m'avouer qu'elle y avait vécu sortait de ses attributions.

— Nous nous sommes connus, il y a long-temps, lui dis-je d'un ton détaché, avouant par là que je faisais certainement partie des jeunes gens qui la suivaient au premier étage.

Le concierge se rapprocha de moi et me dit à mi-voix :

— La personne que vous cherchez est derrière vous, dans le hall.

Nous nous regardâmes en silence et je lui fis un sourire que j'espérais le plus neutre possible. Demander si Mary faisait encore partie de la clientèle était une chose, me retrouver en face d'elle en était une autre. La seule idée de me retourner et de la découvrir avec vingt ans de plus me paraissait insurmontable. Le passage du temps sur mes camarades de classe, je pouvais l'admettre et même y trouver un certain intérêt, sur le visage de Mary, je ne l'acceptais pas. Tandis que le vieux concierge ne me quittait pas des yeux, je sentis qu'une présence venait de se rapprocher dans mon dos.

— Des messages pour moi, Auguste ?

C'était elle. C'était sa voix, inchangée, avec cette pointe d'accent américain qui ne s'était pas dissoute dans la lenteur suisse.

— Non, je ne crois pas madame... lui répondit-il en me jetant un regard.

La main gantée de Mary m'effleura, elle tendit sa clef au concierge et l'espace d'un instant, je sentis son parfum. Je ne me rappelais pas du nom de cette eau de Guerlain, mais elle me ramenait dans la chambre avec vue sur le lac. Le concierge accrocha la clef et me sourit amicalement, sûrement souhaitait-il effacer le léger malaise qui flottait encore.

— Alors, où nous emmène la plus belle, ce soir ? susurra une voix d'homme aux intonations précieuses.

— C'est une surprise, les garçons, vous verrez répondit Mary.

— Avec vous, les surprises sont toujours délicieuses, répondit un autre homme.

Je devinai qu'ils s'éloignaient et me retournai enfin pour voir sa silhouette s'engouffrer dans la porte à tambour. Deux hommes jeunes et élégants la laissaient passer avec cérémonie. À n'en pas douter, Mary avait ce soir-là deux charmants homosexuels pour chevaliers servants. L'un des hommes portait une écharpe de soie blanche qui battait dans le vent du soir. Des yeux, je suivis leurs trois silhouettes qui s'éloignaient vers la pénombre du lac. L'écharpe faisait une tache blanche, palpitant dans la nuit.

— Monsieur, votre avion part dans une heure quarante, m'informa le concierge le plus jeune en posant sur le marbre ma carte bancaire et mon billet imprimé. Je vous commande un taxi ?

— Oui, un taxi, merci, répondis-je absent.

Puis je me retournai vers l'extérieur, l'écharpe blanche n'était plus qu'un point dans l'obscurité.

Quelques minutes plus tard, mon taxi arriva.

— Au revoir, monsieur, me dit le concierge âgé tandis que je me dirigeais vers la porte à tambour.

Non, pas « au revoir ». Genève ne me reverrait pas, ni la ville ni le correspondant Verner ni le concierge Auguste. D'ailleurs, il me semblait que tous ces personnages n'existaient pas vraiment, ils n'étaient pas plus réels que les silhouettes indéfinies que l'on croise dans les rêves. Mon portable sonna, « Sylvie » s'affichait sur l'écran. Je la rappellerais à Paris, je lui dirais que je m'étais endormi, peut-être même lui raconterais-je mon rêve : j'étais à Genève, c'était très étrange, je trouvais un dossier dans lequel j'apprenais que j'étais le fruit d'une liaison entre Derk et ma mère, ensuite je me retrouvais dans un hôtel de luxe, et dans le hall je croisais une célèbre actrice américaine des années cinquante. Oui, je raconterais cela à Sylvie. Je ne pouvais pas tout garder pour moi à ce point.

À peine assis dans l'avion, je m'endormis. Une hôtesse me réveilla à Paris. Quand j'ouvris les yeux, l'avion était désert, il n'y avait plus que moi et cette jeune femme en bleu marine qui me regardait, inquiète.

Cet aller-retour que j'avais prévu à Metz me changerait les idées. Marjorie Levart, prostituée. Je me disais qu'elle était une des dernières curiosités à éclaircir car je sentais que ma quête était en train de se refermer. Qu'avais-je cherché à travers ces rencontres ? Certainement une part de moi-même, la plus enfouie, la plus inconsciente, et je l'avais trouvée. Le labyrinthe que je m'étais proposé de suivre par pur divertissement avait abouti au septième sous-sol d'un parking suisse et à une salle des coffres renfermant « les petits et les grands secrets », comme l'avait vu dans son jeu de cartes l'amie de ma fille. La révélation qu'elle avait prédite ne pouvait être autre chose que le dossier Marie Dava. Je revis sa main et ses ongles rongés posés sur la carte. Elle présentait un miroir dans lequel un homme vêtu d'un costume du XVIIᵉ siècle se reflétait. Puis elle m'avait demandé d'en tirer une autre et j'avais sorti celle avec un chat rouge. « Le hasard, avait-elle dit. Il guide le jeu. »

Assis sur un tabouret du bar du TGV, j'étais perdu dans ces réflexions quand un homme me demanda la permission de poser à mes côtés une grosse caisse en plastique munie d'une poignée. Il se tenait debout à quelques mètres de moi et commençait à couper son croque-monsieur lorsqu'un miaulement rauque sortit de la caisse. Il s'agissait d'un de ces paniers grillagés dans lesquels on transporte les chats. Je n'avais pas reconnu l'objet tant celui-là était imposant. Archipattes aussi disposait d'un sac de transport, en cuir rouge, avec une vitre en plastique transparent, toutefois le sien avait des dimensions normales. Je me penchai vers le grillage pour découvrir un énorme chat au pelage mi-long et roux vif. Ses yeux mordorés me fixaient d'un air ironique. Il miaula à nouveau.

— Sacré bestiole, n'est-ce pas ? me dit l'homme.

Je levai les yeux vers lui. Sans doute avais-je un regard effrayé car il s'empressa d'ajouter :

— N'ayez pas peur, il n'est pas méchant.

— Ce n'est pas ça, balbutiai-je, c'est la couleur...

— Ah oui, la couleur est assez exceptionnelle, c'est un Maine Coon, red blotched tabby, m'annonça-t-il fièrement. Pour celui-ci le roux est étonnant. Il est presque...

— Rouge, murmurai-je.

— Nous allons à une expo féline sur Metz. Vous aimez les chats ?

— J'ai un chat, un chat normal, ajoutai-je sans quitter celui-là des yeux.

— Vous voulez venir nous voir ? fit-il en fouillant dans ses poches tout en parant les secousses du train. Il me reste des invitations, tenez.

Il me tendit un carton avec de nombreux chats de couleurs et de races différentes imprimés dessus, à la façon de photos d'identité. « Invitation à la grande journée féline » s'étirait en caractères bleus, entourés d'empreintes de pattes.

— C'est gentil. Je passerai peut-être, dis-je, bien que je n'eusse aucune intention d'aller déambuler parmi des chats en cage dans une quelconque salle des fêtes.

— Nous avons déjà gagné plusieurs coupes, pas vrai Derk ? dit-il en s'adressant au chat.

— Pardon ?

— Je dis que nous avons déjà gagné beaucoup de coupes.

— Ce n'est pas ça, le nom... le nom de votre chat ?

— Derk.

— Pourquoi Derk ? répliquai-je d'un ton affolé.

— Parce que c'était l'année des D, répondit-il comme s'il s'agissait là d'une évidence.

L'homme me considérait avec amusement. Certainement s'attendait-il à ce que je continue à lui poser des questions sur son étonnant félin, mais plus rien ne me vint si ce n'est que le destin se jouait de moi, qu'il semait sur mon parcours des indices pleins d'ironie dont peut-être le seul but était de me faire renoncer à poursuivre mes recherches, à moins que ce ne fût l'inverse. Si je dépassais ces facéties, je triompherais, comme l'avait indiqué la tireuse de cartes. L'angoisse qui ces temps-ci appelait un Temesta me revint dans le ventre. Cette fois, je résisterais. Au retour de l'aéroport, j'étais dans un état si cotonneux que je m'étais arrêté chez Mahmoud afin d'acheter du café et de l'aspirine. Il n'était pas là, un jeune vendeur m'avait trouvé ces deux produits, censés m'aider à récupérer mes esprits.

L'appartement désert m'avait accueilli, avec son placard ouvert dans le mur et l'assiette à la girafe posée sur la table du salon. J'avais sorti de ma sacoche les deux dossiers et les avais posés à côté de l'assiette avant de me faire un café et d'avaler une aspirine. Sur ma plaquette de Temesta, il manquait dix pilules. En une seule journée, j'en avais avalé cinq comme des bonbons. Il était temps de cesser ce genre d'automédication, quitte à me retrouver encore plus sonné qu'après la défaite du second tour.

J'avais rappelé Sylvie, et rien que d'entendre sa voix m'avait remonté le moral. Cette fois, j'avais été très content d'écouter ses histoires d'essais, de clientèle et de futurs plats à la carte. Sans le savoir, ma femme m'avait ramené vers un monde concret, aux contours définis et connus, celui de Perisac, de La Musarde, de notre maison. Un monde quotidien mais rassurant, loin de mes errances dans les brumes du passé, de mes découvertes édifiantes et de mes séjours clandestins. En lui parlant, j'avais avalé mon café brûlant, dont chaque gorgée avait, me semblait-il, atténué les effets de l'anxiolytique. Je lui avais aussi raconté mon séjour en Suisse, comme convenu sous la forme d'un rêve. En m'écoutant lui en narrer les détails, j'avais presque fini par croire, moi aussi, qu'il s'agissait d'un rêve. Que seuls étaient réels l'assiette à la girafe, le placard du mur et la carte postale du Cabaret du ciel. Qu'après, rien ne s'était produit. Les dossiers du coffre ? Une pure chimère, d'ailleurs je n'avais pas ouvert le dossier Massoulier et l'envie de le faire m'avait quitté. Peu m'importait que la mort de Bertrand Massoulier ne fût pas un suicide. Ne pas ouvrir ce dossier lui faisait perdre de son existence, de sa réalité, et c'était bien de cela dont j'avais besoin : occulter le voyage en Suisse.

L'idée d'entrer en contact avec ma mère pour lui faire part de la découverte de sa correspondance ne m'avait effleuré que quelques secondes pour être aussitôt rejetée. Cette démarche n'engendrerait que des catastrophes. J'étais le fruit de sa liaison cachée avec Derk, c'était un fait acquis. Désormais, il s'agissait d'essayer d'archiver cela dans ma mémoire, de ne plus y toucher et de passer à autre chose. De l'enfouir au plus profond de moi, à la manière de ces assassins qui prétendent ne plus avoir aucun souvenir du crime qu'ils ont commis dans un état second. Certains mentent bien sûr, d'autres doivent être sincères. Une part d'eux-mêmes sait très bien, mais a décidé de ne plus se souvenir. Le disque dur de la mémoire refuse l'accès à ce dossier-là. C'était cela que j'éprouvais, le

risque de voir ma personnalité entière s'effon-
drer si je restais bloqué sur l'idée que Derk et
mon père ne formaient qu'une seule et même
personne. « La Suisse n'existe pas », avais-je
tenté de me convaincre. Il m'avait semblé que
je n'étais pas l'inventeur de cette formule. Elle
avait même fait scandale au début des années
quatre-vingt-dix. Cette phrase était celle d'un
artiste, un artiste qui inscrivait d'une écriture
enfantine des mots en blanc sur fond noir à
la manière d'un slogan. Un type excentrique,
coutumier des déclarations provocantes, dont
le nom ne m'était pas revenu.

Sylvie s'était contentée de trouver mon rêve
bien étrange, elle avait ajouté que les rêves
étaient souvent complètement absurdes, elle-
même en avait fait un curieux mais elle ne
pouvait me le raconter, il s'était évanoui dès les
premières minutes de son réveil. Elle m'avait
aussi demandé quand je comptais me souvenir
que j'avais une femme à Perisac. J'avais souri
en lui promettant que c'était pour bientôt.

— Je t'aime, François Heurtevent, je t'aime
autant que j'aime La Musarde, avait-elle ajouté,
ce qui dans sa bouche était le plus beau compliment qu'elle puisse me faire.

Le téléphone raccroché, j'étais revenu vers
la table encombrée des dossiers, je les avais posés
l'un par dessus l'autre puis je les avais rangés
dans le bas de la penderie, en attendant de
leur trouver une meilleure place, de les cacher
plus loin de moi.

À la descente du train, j'avais laissé s'éloigner le chat Derk et son maître. Quelques miaulements rauques étaient à nouveau sortis de la caisse puis l'homme et le chat rouge s'étaient perdus dans la foule sur le quai. À l'extérieur de la gare, un vent sec m'accueillit. Le ciel était gris, uniforme et sans nuages, comme une grande toile de fond à travers laquelle aucun soleil ne se risquerait à passer un rayon. Il était quatorze heures à ma montre. Je sortis de ma poche mon agenda sur lequel j'avais noté le téléphone portable de Candice, alias Marjorie Levart. Elle m'avait dit se trouver dans le centre-ville et je m'y dirigeai au juger.

Je n'étais pas venu à Metz depuis plusieurs années, la dernière fois c'était pour une réunion du parti. Dans un charmant restaurant près d'un pont, réservé pour l'occasion, les vins de Moselle et la liqueur de mirabelle nous avaient aidés à faire passer un congrès oiseux sur l'avenir de l'Europe.

Avenue Foch, à quelques rues de la gare, je finis par m'égarer parmi les hôtels particuliers qui se succédaient en enfilade et demandai mon chemin à une jeune fille. Mon idée était d'aller place Saint-Louis, et d'y prendre un café en attendant qu'il soit quatorze heures trente pour téléphoner à Candice. En suivant les indications de la jeune fille, je retrouvai rapidement les étroites façades de la place Saint-Louis avec leurs arcades entourées de ces rampes de pierre qui leur donnent un aspect penché si insolite. Il y avait peu de monde, juste quelques clients aux terrasses des cafés et un groupe de touristes qui admiraient l'architecture de la place. Je les dépassai, saisissant au passage des bribes sur l'histoire du lieu, énoncées d'une voix forte par un jeune homme blond à queue-de-cheval.

— En 1707, le curé de Saint-Simplice décida d'installer sur la place du Change une statue de Louis XIII. Les Messins le confondirent avec Louis IX et c'est ainsi que la place s'appela Saint-Louis...

J'hésitai à rentrer au café Rubis, et mes pas me menèrent près d'une des galeries. En levant les yeux, je vis sur le mur une main en pierre, sculptée dans un cartouche ; le pouce et les doigts bien rectilignes m'invitaient à suivre une direction imprévue. D'une rue à l'autre, je finis par me retrouver rue de la Tête d'Or, où le jeune homme et son groupe admiraient une nouvelle façade, ornée celle-ci de trois têtes recouvertes de feuille d'or. Certainement étaient-elles à l'origine du nom de la rue. Je m'approchai.

— ... Rien à voir avec ces trois têtes, le nom vient d'une hôtellerie de la Tête d'Or établie dans cette rue au XIVe siècle, racontait le guide quand mon portable sonna.

Le petit groupe se tourna vers moi, je m'excusai et m'éloignai pour répondre. « Armand » s'affichait sur l'écran. Certainement me croyait-il à Paris.

— François ?... C'est Armand. Je te dérange ?

— Non, je suis dans une rue, à Metz.

— Bien sûr, tes rendez-vous… C'est pas une pute, à Metz ?

— Si.

Il émit un petit rire à l'autre bout du fil, je sentis qu'il cherchait une réplique drôle mais visiblement ne la trouvait pas.

— Bon, je ne t'appelle pas pour ça. Que fais-tu samedi ?

— Rien de spécial.

— Tu veux venir promener la chienne avec moi ?

— … Si tu veux, où ça ?

— Au Bois. Toujours rue de Bourgogne ?

— Toujours.

— Neuf heures trente ? Je passe te prendre en bas, à samedi.

Je n'avais aucune envie d'aller promener un chien au bois de Boulogne avec Armand. J'aurais dû refuser, pensai-je aussitôt, mais il m'avait pris de court avec sa proposition incongrue. J'étais à deux doigts de le rappeler pour annuler quand le réveil de mon portable m'indiqua qu'il était temps de passer mon coup de fil. « Vous me rappellerez à ce même numéro vers quatorze heures trente, je vous donnerai mon adresse. Je suis dans le centre-ville. » Il était plus que temps de me trouver une excuse crédible pour rencontrer une prostituée, la payer et ne pas consommer.

Il me suffisait de renoncer et de retourner sur mes pas ou encore d'attendre qu'elle sorte de l'immeuble, comme l'avait fait Jérôme Auberpie trente ans auparavant. Je n'aurais plus qu'à la suivre dans les rues, la dépasser discrètement et regarder son visage. C'était aussi simple que ça, je serais renseigné, je saurais à quoi ressemblait Marjorie Levart après toutes ces années.

Rue des Jardins. En sortant d'un bar où j'avais consommé trois cafés de suite, je me rendis vers l'adresse qu'elle venait de me communiquer. La caféine n'avait fait qu'augmenter mon état de stress, en rien elle ne m'avait aidé à trouver un motif à ma visite. À mesure que le numéro se rapprochait, les battements de mon cœur s'accéléraient. Je devenais un vrai collégien, de ceux d'autrefois qui, je l'imaginais, avaient mis de côté leurs économies pour se payer un dépucelage par une professionnelle. Ceux-là devaient s'y rendre la peur au ventre, hésitant entre l'envie de fuir et celle de réaliser les mille et un fantasmes qui leur trottaient dans la tête. En ce qui me concernait, nul fantasme ne m'animait les entrailles. Je n'éprouvais que l'angoisse de ce que j'étais en train de faire, à savoir avancer dans une rue en guettant le bon numéro sur une façade, puis sonner à un interphone en espérant ne croiser personne. Je jouai avec l'idée de renoncer pendant encore quelques numéros, jusqu'à me retrouver devant l'interphone qu'elle m'avait décrit, avec une plaque blanche, en bas à gauche, sans aucun nom dessus. Alors… Journaliste ? Sociologue ? Décidément je ne trouvais rien. Et d'ailleurs pourquoi me cherchais-je une telle identité ? D'autant qu'il était toujours possible que Marjorie, tout comme Clément Jacquier, me reconnaisse au premier coup d'œil. Mais cette idée-là, je l'avais mise de côté, me disant que même si elle m'identifiait, il y avait peu de chances qu'elle me le dise. J'imaginais mal une prostituée déclarer à son client : je me souviens bien de toi, mon lapin, nous étions en classe ensemble.

— Oui ?

— Nous venons de nous parler, vous m'avez donné votre adresse par téléphone…

— Rez-de-chaussée, gauche.

La porte émit un bourdonnement. Je ne pouvais plus reculer.

Je pénétrai dans une entrée déserte puis je passai une seconde porte, sans code celle-là, pour me retrouver dans l'obscurité d'un hall d'immeuble. À tâtons, je trouvai l'interrupteur ; la lumière revint, éclairant le sol de marbre et un escalier qui montait vers les étages. Une porte en bois clair s'entrouvrit à peine et, dans l'entrebâillement, je devinai une silhouette féminine dans la pénombre. Une fraction de seconde, une autre silhouette dans la pénombre me revint à l'esprit : celle du père Auberpie dans son confessionnal.

— Entrez, me dit-elle à mi-voix.

Elle avait dû me guetter derrière un judas. J'entrai et elle referma la porte. Nous nous retrouvâmes face à face quelques instants dans l'obscurité. Seule une petite lampe rouge en hauteur éclairait l'entrée et je ne pouvais voir son visage. Elle se retourna et le tissu de son vêtement me frôla. Une robe de chambre de soie blanche qui faisait comme une tache phosphorescente dans le noir. Le col et les manches étaient bordés de cygne.

Dans mon souvenir, Marjorie Levart était une brune aux yeux clairs, jolie, même très jolie aux dires de Jérôme Auberpie, qui parlait peu. Elle ne sympathisait pas vraiment avec les autres filles, restait plutôt en retrait, sans pour autant venir voir les garçons. Dans le couloir du cours Levert, où se situait-elle ? Ni près de notre extincteur d'incendie, ni près de celui des filles. En fait, je ne la revoyais pas dans le couloir, mais assise à sa table, avec dans les yeux un je-ne-sais-quoi de rêveur qui lui donnait un air hautain.

Elle me précéda jusqu'à la pièce principale, plus éclairée celle-là, puis se tourna vers moi. Ses cheveux étaient toujours aussi noirs, son teint impeccable devait sûrement une partie de son éclat aux produits de beauté. Ses yeux étaient aussi clairs que dans mon souvenir, et maintenant me revenaient ces deux fossettes de chaque côté de sa bouche. Tout comme Delphine Poisson, Marjorie Levart était tout à fait reconnaissable. Le plus surprenant était l'absence totale de rides sur son visage. Elle déclarait avoir quarante-trois ans, en avait en réalité quarante-huit et possédait la peau d'une fille de quinze ans. Le soin esthétique « peeling » que j'avais brièvement aperçu dans l'un des magazines du salon de coiffure était peut-être à l'origine de cette étrangeté. Elle fronça les sourcils dans une expression qui fit ressortir ses fossettes.

— Vous avez les… commença-t-elle, laissant sa phrase en suspens.

— Oui, absolument, m'empressai-je de répondre, plongeant la main dans ma poche pour en sortir deux billets de cent euros.

Elle les prit sans un mot et alla les poser dans une boîte en laque noire.

La pièce où nous nous trouvions était un grand studio dont les abat-jour diffusaient une lumière tamisée, avec moquette et tapis de laine profond, canapé et fauteuils de velours, puis le lit que je devinais derrière une tenture. Une odeur de bougie parfumée flottait dans l'air, du jasmin me sembla-t-il.

— Mets-toi à ton aise… me dit-elle, passant soudain au tutoiement.

Certainement était-ce là un des usages dans ce genre de rencontre, dès que le client a payé il a le droit d'être tutoyé. Cela crée un climat convivial, un peu comme lorsque je demandais leurs prénoms à mes administrés et que j'en usais dans la conversation comme si je les connaissais depuis toujours. Je retirai ma veste et la posai sur le dossier d'un des fauteuils de velours. Elle me désigna une porte entrouverte sur des tomettes rouges.

— Si tu veux prendre une douche, la salle de bains est ici, dit-elle en s'installant dans le canapé.

À cet instant, je vis qu'elle portait des mules, elles aussi recouvertes de cygne. Elle devait être à demi nue sous sa robe de chambre de soie. Je restai debout, immobile, assez emprunté je dois l'avouer. Pour me donner une contenance, je promenai mon regard sur les lieux. Hormis la minuscule entrée dans l'obscurité, le living et la salle de bains, je ne voyais aucune porte donnant sur d'autres pièces.

— C'est étonnant ici... Il n'y a pas de cuisine ?

Marjorie Levart me considéra en silence.

— Non, il n'y a pas de cuisine, finit-elle par dire. Ce n'est pas vraiment un lieu de vie, ajouta-t-elle d'un ton presque mondain.

— Je vois, c'est comme une chambre d'hôtel, mais en immeuble.

— C'est ça... répondit-elle dans un sourire en me regardant.

Visiblement je ne correspondais pas au schéma de ses clients habituels avec ma question incongrue sur la cuisine, mon hésitation concernant la douche et, surtout, cette façon

que j'avais de rester debout comme en puni-
tion au milieu de la pièce.

Elle tapota le velours du canapé, me faisant
signe de venir m'asseoir. Tandis que je m'approchais, elle défit la ceinture de son peignoir, laissant apparaître ses seins et une fine chaîne en
or autour de sa taille. Je m'assis à côté d'elle et
la regardai dans les yeux. Non, elle ne me reconnaissait pas, j'en étais sûr. Mon regard glissa sur
le grain de sa peau puis s'attarda sur la chaîne
en or. Je n'avais vu cela qu'une fois, dans un
polar des années soixante-dix, avec Alain Delon.
À la fin du film, Mireille Darc se déshabillait
et dévoilait, elle aussi, une chaîne en or autour
de la taille. L'affiche me revint à l'esprit, on
y voyait la silhouette de l'actrice, nue, debout
dans le percuteur d'un revolver. J'avais quatorze
ans, ma mère avait refusé que j'aille voir le film,
sûrement à cause de ces scènes dénudées.

— C'est très joli...

— Merci.

— C'est un cadeau ?

— Mon premier petit ami me l'a achetée
quand j'avais seize ans. Et je n'ai rajouté
aucun maillon, précisa-t-elle.

Je ne répondis rien. Cet objet était donc déjà
autour de sa taille au temps du cours Levert.

— On commence par quoi ? demanda-t-elle
en posant sa main sur ma cuisse.

Je suivis la main aux ongles nacrés qui
remontait doucement vers ma braguette.

— Si tu mets ça... ajouta-t-elle, désignant
un préservatif qui venait d'apparaître comme
par magie dans son autre main.

— Si je mets ça... répétai-je.

— ... je te suce... et ensuite on va dans le lit.

Cette très jolie brune aux yeux clairs, avec son carré bleu Durex à la main, avait suscité la vocation d'un homme d'église et jamais elle ne le saurait.

— Écoutez... En fait, vous êtes très belle, tu es très belle, tu es charmante, mais... je ne sais pas pourquoi, je n'ai plus envie, dis-je dans un souffle. Alors, on peut peut-être... je ne sais pas, moi...

— ... Boire un verre, dit-elle en finissant ma phrase.

— Oui, bonne idée !

— J'ai une demi-bouteille de champagne, mais elle est en supplément. C'est cinquante euros.

— J'ai sûrement ça, répondis-je, soulagé, et aussitôt je me levai pour aller prendre mon portefeuille dans ma veste.

— Et puis, non, tiens, on s'en moque, fit-elle en se relevant du canapé. Tu as l'air sympathique, je te l'offre.

Elle renoua la ceinture de son peignoir et alla vers un petit frigidaire encastré dans le mur. Elle en sortit une bouteille et deux coupes.

— Tu n'es pas d'ici ?

— Non, je suis là pour la journée.

— Allez... Assieds-toi, détends-toi... Tu as payé pour une heure.

Je débouchai la bouteille et remplis les coupes puis nous trinquâmes. Tout en buvant mon champagne, je l'observais, elle faisait de même. Avait-elle maintenant un doute sur mon visage ? Je ne le pensais pas. Je me demandais d'ailleurs si les prostituées pouvaient reconnaître à quelques années de distance le visage d'un client de passage.

— L'envie, ça revient ?

— Pas trop…

— C'est pas grave, me rassura-t-elle en finissant sa coupe. C'est même amusant, comme ça, la boucle est bouclée. Mon tout premier client m'avait fait le même coup, mon dernier aussi.

— C'était qui ton dernier ?

— C'est toi. J'arrête ce soir. Tu es mon dernier client.

Je la regardai sans savoir quoi répondre. Cette confidence, qu'elle n'était pas censée me faire, venait de créer une sorte de lien entre nous. Quelque chose de touchant et d'infiniment fragile flottait désormais dans l'air.

— Tu sais, dans mon métier il y a toujours un premier client puis, un jour, un dernier. Ça tombe sur toi.

Je la resservis en champagne et nous trinquâmes à nouveau. L'érotisme avait quitté la pièce, nous n'étions plus qu'un homme et une femme assis sur un canapé, échangeant quelques propos avant de partir chacun dans une direction différente. Je lui demandai si elle avait toujours été à Metz, elle me répondit que non, elle venait de Paris, c'était là qu'elle avait commencé à travailler.

— Tu me racontes ? Enfin, si tu veux…

Une dernière fois, elle s'enquit de savoir si mon envie ne reviendrait pas. Je le lui confirmai, ajoutant qu'en définitive je préférais bavarder. Elle se dirigea vers une étagère, en sortit un catalogue, le parcourut avec un petit sourire puis vint se rasseoir à mes côtés. « *Prestige Angel's* » s'étirait en lettres d'or au-dessus d'une photo d'elle prise bien des années avant.

— Tu t'appelais Eva ?

— Oui, j'ai eu beaucoup de prénoms.

Le catalogue de l'agence de call-girls ressemblait volontairement à une carte de restaurant, avec un très beau portrait photo puis, juste en dessous, sur une ligne, les mensurations, la taille, le poids et le niveau d'études de la demoiselle. Les spécialités érotiques étaient présentées à la manière d'un menu, sur une colonne, avec de fines arabesques calligraphiées entre chaque. Cette ingénieuse mise en page avait poussé le détail jusqu'à préciser certaines « en supplément ». Il suffisait ainsi de choisir à la carte ce que l'on désirait faire et pendant combien de temps. Ensuite, on calculait son addition pour aboutir à une somme en francs qui pulvérisait les deux cents euros de l'heure présente.

Le portrait, légèrement flouté dans le style de David Hamilton, était suivi de quatre autres photos de la fille nue : allongée, assise, alanguie et de dos. Jamais je n'aurais imaginé que Marjorie Levart eût un corps aussi parfait. Jérôme Auberpie avait décidément l'œil bien plus aiguisé que nous tous. Je tournai les pages suivantes pour découvrir Greten, une Suédoise à la blondeur aryenne, puis Mia, une Espagnole piquante aux yeux de braise, et Christie, une rousse aux cheveux lisses et au teint de nacre. Je revins à la page d'Eva.

— Quelle année ?

— 83-84, grand luxe, n'est-ce pas ?

Je hochai la tête, admiratif, autant pour la présentation que pour les tarifs.

— Hommes d'affaires, voyages, avions privés, palaces. Ce furent des années étonnantes.

— Et aujourd'hui ?

— Fin de carrière…

— Pourquoi Metz ?

— Ça, c'est une autre histoire, dit-elle sans poursuivre. Et toi, que fais-tu ? Tu n'es pas obligé de me répondre, précisa-t-elle.

Je lui resservis une coupe et finis la bouteille dans son verre, ce qui me permit de réfléchir à une réponse.

— Commissaire-priseur.

— Beau métier, dit-elle, admirative. Une vocation ?

— En quelque sorte, répondis-je, évasif, songeant aux phrases définitives que Dominique Pierson avait prononcé sur son métier.

Elle avançait avec beaucoup de tact dans ses questions, certainement une habitude qu'elle avait gardée de ses soirées de call-girl avec des hommes élégants. Il ne s'agissait pas seulement de coucher mais aussi de pouvoir faire la conversation au client, ce qui nécessitait un bagage culturel et une connaissance des usages mondains. Je la sentais heureuse de reprendre ce rôle-là durant l'heure que nous passions ensemble. Que s'était-il passé dans sa trajectoire pour qu'elle finisse à Metz dans ce studio, délicat certes, mais loin des palaces et des avions privés. À mon tour, je poussai mes pions en lui demandant comment elle en était venue à faire ce métier. Je pensai qu'elle allait esquiver la question ou même la trouver indiscrète, mais elle me répondit avec sincérité. Elle avait commencé à faire des photos avec un photographe de mode, l'homme de la chaîne en or autour de la taille. Très vite, les cocktails et les boîtes de nuit s'étaient enchaînés. Elle avait rompu avec sa famille et ses photos ne lui rapportaient pas beaucoup plus que de quoi vivre dans une chambre de bonne. Elle avait rencontré beaucoup de monde dans ce début des années quatre-vingt. Lors d'un vernissage, son chemin avait croisé celui d'un homme qui s'était proposé de la mettre en relation avec la directrice d'une agence de call-girls. Il lui avait laissé sa carte. Quelques mois plus tard, elle avait appelé. Coucher pour le plaisir ou encore avec des photographes pour une couverture, était-ce si différent que de coucher pour de l'argent ? En une soirée elle avait dîné dans un grand restaurant, passé la nuit dans la suite d'un hôtel de luxe et gagné six fois son loyer. Après, tout s'était enchaîné, selon ses termes, et le catalogue que j'avais feuilleté n'en était qu'un parmi ceux des nombreuses agences pour lesquelles elle avait travaillé.

— Si tu aimes le sexe, l'argent, et que tu n'as pas beaucoup de morale, c'est assez simple, dit-elle finalement.

— Et aujourd'hui... tu es seule ?

— J'ai l'air seule ?

Elle fronça les sourcils, ce qui fit à nouveau ressortir ses fossettes.

— Non.

— Alors, je ne suis pas seule, dit-elle en souriant. Tu as des enfants ?

— Oui, et toi ?

— Aussi.

— Tu vas rester à Metz ?

— Non, je vais aller loin, dit-elle rêveuse. Et toi où vas-tu aller en sortant d'ici ?

— À Paris.

— Tu es de Paris ?

— Non, en fait, je vis à Perisac.

— C'est joli Perisac, je suis passée par là il y a longtemps. Il y a un restaurant très connu.

— La Musarde...

— C'est ça. C'est une femme qui est chef, j'y suis allée en 1995 ou 1996. C'est un bon souvenir, dit-elle les yeux dans le vague. J'étais avec quelqu'un que j'aimais beaucoup... Tu es pressé ?

— Non, mon train n'est qu'à dix-huit heures.

— Viens...

Selon elle, même si nous ne couchions pas ensemble, nous serions mieux installés sur le lit. Je retirai mes mocassins, elle, ses mules de cygne, et nous nous allongeâmes l'un à côté de l'autre. Nous restâmes ainsi dans le silence.

— Quelque part en Italie, un homme m'attend, me confia-t-elle. Il m'attend depuis dix ans. Il m'accepte telle que je suis, avec ma fille qui n'est pas de lui. J'ai hésité pendant des années et, maintenant, je vais le rejoindre.

— Pourquoi as-tu hésité ?

— Je ne sais pas, c'est un homme doux... En fait, si, je sais. Je crois que je ne l'aime pas vraiment. Maintenant, c'est trop tard, j'ai décidé de le rejoindre. Après les vacances d'été, ma fille rentrera à l'école en septembre en Italie. D'ici là je vais mettre de l'ordre dans ma vie, c'est pour cela que tu es mon dernier client.

— Tu as raison, il faut partir.

— Tu es sûr ?

— Je suis sûr.

— Merci.

Elle venait de se confier à moi, à mi-voix, alors à mon tour et sur le même ton je lui racontai ma journée en Suisse. Marjorie Levart m'écouta en silence, à elle je racontai tout, sans le faire passer pour un rêve. Je lui racontai le dossier rouge avec le nom de ma mère et cet homme qui m'avait tout appris et qui était mon père. Ce n'était plus à l'ancienne camarade de classe, qui d'ailleurs n'en avait jamais vraiment été une, que je me confiais mais à la prostituée. À Eva, l'ancienne beauté de *Prestige Angel's* qui avait égayé les nuits d'hommes fortunés. Payer pour parler, pour se confier, c'était mieux qu'un confessionnal. Un réveil électronique sonna.

— L'heure est passée, c'est ça ?

— Continue, ça n'a plus d'importance, dit-elle d'un ton énigmatique.

À la fin nous nous serrâmes l'un contre l'autre. Je ne sais pas ce qui me prit, je cherchai son cou, puis remontai jusqu'à sa bouche et caressai ses cheveux, elle ouvrit les yeux. Les prostituées ne se laissaient pas embrasser, ça je le savais. En revanche, parfois elles embrassaient, et c'est elle qui vint vers mes lèvres. Je sentis sa langue brûlante contre la mienne et nous nous embrassâmes avec passion. À la fin de ce baiser, l'un comme l'autre, nous étions épuisés et la tête me tournait.

— Ton dossier avec toutes ces lettres...

— Oui...

— Brûle-le.

— Tu es sûre ?

— Je suis sûre.

Nous nous quittâmes comme deux vieux amants qui se diraient adieu dans un aéroport et elle referma la porte doucement derrière moi. Le hall était dans l'obscurité, j'appuyai sur l'interrupteur, la lumière agressa mes pupilles et l'odeur de jasmin disparut.

Armand ne m'avait même pas demandé comment s'était passée ma rencontre à Metz, il paraissait avoir oublié ce détail.

— Je n'ai pas dormi depuis plus de vingt-quatre heures, m'avait-il dit d'une voix cassée en se massant les arcades sourcilières.

Je n'avais pas osé lui demander les raisons de cette absence de sommeil. Comme à son habitude, il ne m'aurait guère renseigné. Je m'étais contenté de hocher la tête. De temps à autre, la chienne labrador noire, à l'avant sur la place passager à côté du chauffeur, se retournait vers son maître, la langue pendante, puis revenait à la route qu'elle suivait avec attention, à travers le pare-brise. Cela donnait l'impression étrange de se laisser conduire par un chauffeur et un chien.

Je n'avais pas raconté à Sylvie mon escapade à Metz. Je lui faisais le compte-rendu de mes rendez-vous avec un temps de retard. Pour elle, je venais de rencontrer Dominique Pierson, le commissaire-priseur qui avait son métier en horreur et aurait souhaité la vie

293

de Cédric Pichon, le créateur de jeux vidéo. Retrouvant l'enthousiasme de la vente aux enchères des assiettes de Derk, je lui avais narré dans le détail mon achat de l'assiette à la girafe, omettant toutefois de lui donner le vrai prix. Pour Sylvie, je l'avais payée huit cents euros.

— Je croyais que les assiettes de Derk valaient beaucoup plus, n'avait-elle pas manqué de me faire remarquer.

— C'était une vente mélangée, elle est passée inaperçue, avais-je menti, lui proposant aussitôt de la lui donner pour la mettre au mur de La Musarde.

C'était l'aspect le plus pénible de mon voyage dans le passé, que d'être constamment en train de mentir à ma femme. Non pas pour la tromper, mais juste pour ne pas avoir à me justifier à ses yeux. Lui raconter Genève, c'était lui avouer que je lui avais caché des choses durant nos premières années. Pourquoi ne lui avais-je pas dit que Derk avait des dossiers et de l'argent en Suisse, que je m'y rendais parfois ? Sylvie, j'en étais persuadé, l'aurait gardé pour elle, peut-être même aurait-elle été contente de cette marque de confiance. Désormais, il était trop tard pour revenir en arrière, et lui parler d'un rendez-vous avec une prostituée à Metz était au-delà de son seuil de tolérance. Même si elle ne me croirait pas capable, à juste titre d'ailleurs, de faire une passe avec une putain, la seule idée que j'aie pu me rendre de mon plein gré dans un tel endroit me vaudrait une scène que je préférais éviter.

Un aboiement de la chienne me sortit de mes réflexions. Nous arrivions porte Dauphine et elle devait reconnaître les lieux. Il me revint à l'esprit qu'elle était enceinte.

— Que vas-tu faire des chiots cette fois ? demandai-je à Armand qui était tout aussi silencieux que moi depuis notre départ.

— Tous vendus, dit-il en se massant le cou, uniquement à des francs-maçons.

— Le labrador est à la mode chez les maçons ?

— Je ne crois pas, mais j'en ai vendu un à un frère, et il a fait circuler l'information. S'il y a une chienne, cette fois je la garde, pour la descendance, ajouta-t-il.

— La descendance présidentielle.

Armand hocha la tête en esquissant un sourire, puis ses yeux se perdirent derrière la vitre. Il semblait ailleurs et je me demandai pourquoi il m'avait convoqué pour cette promenade de si bonne heure.

— Même endroit monsieur ? demanda le chauffeur d'une voix de basse.

— Oui... même endroit, lâcha Armand sans quitter des yeux un point sur la place.

Un point qu'il ne devait d'ailleurs pas voir, perdu qu'il était dans ses pensées. Nous nous engageâmes en silence dans le bois, sur une grande allée bitumée qui débouchait sur des petits sentiers recouverts de feuilles. Le chauffeur arrêta la voiture, ouvrit la boîte à gants pour en sortir un lourd pistolet automatique en acier qu'il glissa dans sa veste. Il avait effectué ce geste aussi simplement que s'il s'était emparé d'un sachet de bonbons. Armand n'y avait même pas prêté attention. La chienne aboya à trois reprises et le chauffeur lui ouvrit la porte.

La voiture nous suivait à quelques mètres, à une allure d'escargot. La chienne partait en courant, s'immobilisait dans les feuilles puis revenait vers nous pour repartir aussitôt. Elle effectua ce petit manège cinq ou six fois. Son hystérie contrastait tant avec notre marche silencieuse que cela en devenait presque inquiétant.

— T'es plutôt chat toi... me dit Armand en se massant le dos.

— Plutôt... Tu as mal ?

— Je ne sais pas, j'ai une douleur, fit-il en grimaçant, ça remonte dans l'épaule...

Deux policiers qui marchaient dans une allée traversèrent pour venir à notre rencontre. D'un ton arrogant, ils indiquèrent à Armand que les voitures n'étaient pas tolérées dans ce secteur et que c'était valable pour tout le monde.

— Pour tout le monde mais pas pour nous, leur répliqua Armand en leur sortant son portefeuille et sa carte, ce qui les fit changer de visage. Compris ?

— Compris monsieur, bonne promenade, et ils s'éloignèrent sans demander leur reste.

Au loin, la chienne faisait des rencontres. Je découvrais un univers bien éloigné des sommeils d'Archipattes. Les chiens venaient se renifler le derrière avec passion et les maîtres, très dignes, se saluaient d'un simple hochement de tête, parfois même échangeaient quelques mots. Entre la galopade et la crotte, toute une confrérie canine avait ses règles et ses codes au bois de Boulogne.

— Tu viens souvent ici ?

— Oui, tous les week-ends. François... me dit-il après un silence, tu as fait un aller-retour en Suisse. Tu as même raté ton avion de retour.

Comme si sa phrase avait commandé un changement de rythme, nous nous étions arrêtés et je le regardai sans rien dire.

— Tu as réservé sur un autre vol depuis le terminal de l'hôtel des Bergues.

— Tu m'espionnes ?

La phrase venait de sortir toute seule.

Armand ne me répondit pas. Il me regardait droit dans les yeux, en silence et, pour la première fois, je me demandai si ce regard bleu n'était pas plus froid que je voulais bien le croire depuis tant d'années.

— T'as pas foutu les pieds rue de Bourgogne depuis 1991. Tu habites son appartement sans raison valable et tu vas à Genève dans la journée.

La chienne revint vers nous et aboya à trois reprises.

— Ta gueule toi, lui dit-il avant de sortir une balle rouge de sa poche et de la lancer très loin dans les arbres.

— Qui visitait l'appartement de Derk, la nuit, même des années après sa mort ? lui demandai-je avec une pointe de méchanceté.

— Ah oui, d'accord...

Il hocha la tête avec résignation.

— ... Tu en sais beaucoup plus que je ne le pensais, continua-t-il. Donc tu l'as.

Nous nous regardâmes et à cet instant je sentis que notre amitié, si toutefois je pouvais user de ce terme pour notre relation, était peut-être en train de se fissurer définitivement. La chienne revint avec sa balle dans la gueule, Armand la récupéra, gluante de salive, et la lança plus loin encore.

— Qu'est-ce que j'ai ?

— Le dossier Massoulier.

Je le regardai en silence et il faisait de même. C'était bien cela, il n'y avait plus de François ni d'Armand du renseignement, juste un manitou de l'ombre et un homme politique en train de négocier.

— Tu ne réponds pas... Un silence qui en dit long.

Armand esquissa un pas et nous reprîmes notre marche tout aussi lentement. Il tapa dans ses mains pour faire revenir la chienne qui répondit « non » de la tête et continua à s'ébrouer dans les feuilles.

— Elle a décidé de me faire chier, elle aussi, maugréa-t-il. Tant que Derk l'avait, c'était un gage de sécurité, mais après... On a cru que c'était toi. Comme il ne reparaissait pas, des imbéciles ont émis l'idée qu'il était peut-être resté dans l'appartement. C'était idiot, Derk n'aurait pas laissé traîner un truc pareil. Oui, on est allés rue de Bourgogne, moi et d'autres aussi, me lança-t-il avec défi. On a tout passé au peigne fin et on n'a jamais rien trouvé, faut croire qu'on était trop cons puisque tu y es arrivé.

Nous fîmes encore quelques pas, puis il s'arrêta net et me prit le bras.

— Il me faut ce dossier ! Tu comprends ça ?

— Non, je ne comprends pas.

— Mon cul ! dit-il. Tu l'as lu, tu sais très bien pourquoi je le veux. Tu sais très bien que depuis 1985 les taupes ont fait des petits, tu sais très bien jusqu'où ça remonte, t'as vu les noms ?!

Il criait presque. Je n'avais rien vu, ni rien lu du dossier Massoulier. Que l'homme d'affaires ne se soit pas suicidé ne faisait aucun doute. La seule présence du dossier dans le coffre à Genève en était la preuve, pour le reste je saisissais à peine ce que m'expliquait Armand. Les mâchoires contractées, il pestait contre le mur de Berlin qui était tombé trois ans après, mais cela n'avait rien changé d'après lui, « tout le monde » s'était mis en sommeil jusqu'à l'arrivée de Poutine. Même si tout cela remontait à loin, il y avait encore de quoi faire tomber des têtes et foutre un sacré boxon, selon son expression.

— Faire tomber des têtes… Tu comprends ? me dit-il d'un ton agressif. Et sauver la mienne aussi. Je suis dans la merde, je ne peux pas t'expliquer pourquoi. Ce dossier, il me le faut.

— Comme moyen de pression ?

— Pour quoi d'autre ? Personne ne s'approchera de moi si je suis assis dessus. Je ne suis pas venu les mains vides, François, ajouta-t-il en me regardant.

La chienne revint vers nous et déposa la balle à mes pieds. Je m'en saisis et la renvoyai dans l'allée puisque Armand n'avait plus du tout l'air décidé à jouer avec elle.

— Je ne veux pas d'argent, je n'en ai pas besoin.

— J'ai beaucoup mieux que ça pour toi... Ton élection, dit-il après un silence. Je t'offre ton élection contre le dossier Massoulier.

— Tu m'offres ?

— Quand j'ai su que tu partais à Genève, j'ai remué ciel et terre pour vérifier une info. J'y ai passé toutes mes nuits, j'ai même fait une descente chez quelqu'un en lui foutant un flingue sur la tempe. Demande-lui ! dit-il en désignant son chauffeur.

— Quelle info ?

— L'info qu'Alphandon a triché. Elle remonte directement de son parti.

— Qu'est-ce que tu racontes... dis-je d'une voix blanche.

Armand ne me répondit pas, il regardait fixement au loin. Il était livide, son teint était devenu subitement gris.

— Armand !

Je m'approchai de lui, il me saisit par le col et m'entraîna dans sa chute. J'entendis la voiture piler et la porte s'ouvrir.

— Vouste ! hurla le chauffeur avant d'arriver à nos côtés, le revolver automatique à la main.

— Je crois qu'il fait une crise cardiaque. Armand ! Armand, tu m'entends ?

Le chauffeur rangea son arme et fit sauter le bouton de col d'Armand en lui dénouant sa cravate. Allongé à terre, Armand respirait avec difficulté.

— ... Heurtevent... Le dossier... Il me faut le dossier... dit-il en inspirant profondément, comme si chaque mot lui brûlait les mâchoires.

— Oui... promis, je te le donnerai, mais ne bouge pas.

— ... Je m'en branle d'une ambulance ! s'énervait le chauffeur dans son portable, je veux deux motards pour m'ouvrir la route, ils me joignent au radar, je passe en code rouge.

— Aidez-moi à le porter ! me cria-t-il en revenant vers moi.

Nous saisîmes Armand sous les aisselles et l'emmenâmes vers la voiture, il tentait de suivre notre marche à petits pas, de plus en plus essoufflé. Nous l'installâmes sur le siège passager. Le plus dur fut de faire passer ses pieds qui ne paraissaient plus réagir et de lui attacher sa ceinture. Le chauffeur contourna la voiture, ouvrit le coffre, en sortit un gyrophare aimanté qu'il posa violemment sur le toit.

— Ton élection... me dit Armand dans un souffle.

— On n'a plus le temps ! cria le chauffeur.

— Ton élection... Les eproms... Trouve les eproms... me murmura Armand avant que la sirène se mette en marche et que la voiture démarre en trombe.

Elle pila quelques mètres plus loin, fit une marche arrière et, par la vitre, le chauffeur me jeta la laisse de la chienne. Puis il redémarra dans un crissement de pneus, fonçant à tombeau ouvert dans l'allée.

La chienne arriva en trottinant et vint se placer à côté de moi. Elle laissa tomber sa balle au sol et ramassa la cravate d'Armand dans sa gueule. Elle émit un grognement en levant les yeux vers moi. Je m'accroupis à ses côtés et la caressai, j'avais le cœur qui battait, tout était allé si vite.

— Il va revenir la rassurai-je, tentant de m'en persuader moi-même. Ton maître va revenir.

Porte Dauphine, je demandai à plusieurs taxis s'ils acceptaient de nous ramener rue de Bourgogne. Tous refusèrent, me recommandant d'appeler un taxi pour chien dont aucun bien sûr ne possédait le numéro. Il se mit à pleuvoir et nous nous abritâmes sous l'entrée Guimard du métro. La chienne tenait toujours la cravate bleue coincée dans sa gueule. J'avais tenté de la récupérer mais un grognement sourd m'avait vite dissuadé d'insister. À force de voir entrer et sortir les voyageurs, je décidai que nous prendrions le métro. Au guichet, un jeune homme que j'entendais à peine derrière sa vitre blindée me répondit qu'il ne vendait plus de tickets, qu'il fallait que je me débrouille avec la machine. À quoi donc servait-il dans la station ? Mystère le plus complet sur ses attributions. Il se leva de son fauteuil pour regarder la chienne.

— Vous n'êtes pas non-voyant ?

— Non, lui répondis-je, pourquoi cette question ?

— Vous ne rentrez pas avec le chien dans le métro, il n'a pas de muselière. Il n'y a que les chiens d'aveugle qui soient tolérés sans, ou les petits chiens dans des sacs.

— Je ne vais pas mettre un labrador dans un sac ! lui dis-je sèchement.

Outragé derrière sa vitre, il me demanda de rester poli, ajoutant qu'il appliquait le règlement de la RATP. Je ne voulus pas en entendre davantage, d'un petit coup sur la laisse je guidai la chienne vers les escaliers et nous reprîmes la sortie. Je sentais la colère monter en moi. Tout le monde me traitait comme un pestiféré avec mon labrador. Nous retournâmes vers les taxis et je toquai au carreau du premier. Un jeune homme aux cheveux gominés baissa sa vitre, laissant échapper un air de rap où il était question de feu et de règles du jeu.

— Vous pouvez nous emmener rue de Bourgogne ?

— Ben... les chiens c'est interdit.

— Même pour cent euros ? dis-je à bout de nerfs en sortant un billet de mon portefeuille.

— Montez.

Tandis que nous grimpions à l'arrière, un de ses collègues le klaxonna. Mon chauffeur lui fit un doigt d'honneur et démarra tranquillement. « Mais qu'est-ce... Mais qu'est-ce qu'on attend pour foutre le feu ? » scandait le chanteur à la radio. Une voix comme un rugissement vint couvrir la précédente, celle-là je la connaissais, c'était celle de Joey Starr.

— C'est NTM ?

— Oui, dis le chauffeur en se retournant vers moi, vous aimez ?

Avec mon complet gris et mon labrador noir, je ne devais pas trop correspondre au public du groupe de rap.

— J'adore, m'entendis-je répondre.

Et tandis que Joey Starr partait dans des rugissements plus puissants encore, un mot dansait devant mes yeux : « Zeproms ».

Arrivé à l'appartement, j'offris un bol d'eau à la chienne qui le lapa avant de se coucher en rond et de reprendre la cravate de son maître. De mon côté, je me servis un verre de gin que je bus cul sec. Si Armand avait fait un infarctus, c'était à cause de ce maudit dossier qu'il voulait récupérer. Rien ne serait arrivé si je n'avais pas ouvert la pochette de cette photo de classe. Sans l'œuf vibrant de Clément Jacquier, j'aurais à jamais oublié le placard mural de l'appartement et si je n'étais pas allé voir Dominique Pierson, jamais je ne me serais trouvé à Drouot au moment de la vente des assiettes de Derk. « L'info qu'Alphandon a triché. Elle remonte directement de son parti. » Les mots d'Armand revenaient en boucle dans mon esprit. Mon ami était en soins intensifs aux urgences d'un hôpital, peut-être même était-il déjà mort. Tout mon chemin depuis ces dernières semaines me menait donc à cette minute-là, comme si tout s'était enchaîné dans le but d'accéder à cette information et surtout à ce mot étrange : « zeproms ». « Trouve les zeproms. » Avais-je bien compris d'ailleurs ? Sur Internet, je tapai l'orthographe que j'avais retenue. Les pages qui s'affichèrent ne me donnèrent que des résultats en anglais, parfaitement incompréhensibles. J'avais sûrement mal entendu, à moins que la liaison ne m'ait induit en erreur, peut-être était-ce cela… Aussitôt je tapai : « eproms ». Sept cent soixante-cinq mille réponses s'affichèrent et parmi les premières : « Eprom : *Erasable Programmable Read Only Memory*. » Je cliquai sur le site qui me proposait la définition du mystérieux mot.

À la différence d'une mémoire prom (*Programmable Read Only Memory*), qui ne peut être programmée qu'une seule fois, une mémoire eprom peut-être effacée, reprogrammée plusieurs fois et lue à l'infini. La mémoire eprom ne peut être lue que par l'électronique de l'équipement sur lequel elle est utilisée. Il est possible d'écrire la totalité de l'eprom ou indépendamment certaines adresses mémoires, mais il faut pour cela retirer l'eprom de son support et la placer dans un programmateur spécial. La carte doit être reliée à un ordinateur pour recevoir les données à programmer dans la mémoire. Pour effacer la mémoire eprom, il faut la retirer du circuit et soumettre la puce électronique qu'elle contient à un rayonnement ultraviolet, c'est un processus contraignant.

Sur la gauche de la page, je vis des photos d'eproms, prises en gros plan. L'une d'elles, photographiée à côté d'une pièce de un euro, donnait leur taille réelle : quelques centimètres. J'ouvris une seconde fenêtre sur l'écran et tapai : « eprom élection ». La première réponse à s'afficher fut : « Comment pirater une machine à voter. »

Toute une communauté s'agitait autour du sujet. Certains forums indiquaient des liens vers des vidéos. On pouvait y visionner des informaticiens en train de pirater des machines à voter aux Pays-Bas, en France, aux États-Unis. Cela paraissait d'une simplicité redoutable.

« Faites-vous élire en cinq étapes, avec comme seul programme l'*Erasable Programmable Read Only Memory* ! » vantait un plaisantin. Il développait sous forme de mode d'emploi plein d'humour la meilleure façon, selon lui, de procéder :

« Choisissez votre commune, commençait-il, et vérifiez son parc de machines à voter. Ensuite, il vous faudra gagner l'accès aux machines. À l'exception de quelques communes, qui optent pour une chambre forte ou pour les locaux de la police municipale, elles sont, en général, stockées dans les armoires ou les locaux techniques de la mairie. »

En ce qui concernait Perisac, les machines étaient stockées dans un hangar appartenant à la ville où l'on entreposait les archives municipales.

« Comptez cinq mille euros pour vous attacher les services du veilleur de nuit et si vous avez une estimation plus fiable, n'hésitez pas à l'indiquer, osait-il poursuivre. Étape trois : programmez votre victoire. Il va s'agir de modifier le programme qui contrôle un certain nombre d'ordinateurs. Le groupe néerlandais "Nous ne faisons pas confiance aux ordinateurs de vote" a publié un article expliquant la marche à suivre. Deux eproms qui sont des barrettes de mémoire informatique contiennent le code. Pour les déchiffrer et les reprogrammer, il vous faut un informaticien spécialiste des technologies des années quatre-vingt. Selon Ron Gonggrijp, le leader du groupe, vous aurez à débourser entre cinq mille et dix mille euros pour un tel job. En fonction du niveau de discrétion désiré, cela peut monter plus haut. Choisissez un bon technicien. Les mairies peuvent facilement détecter une manipulation trop grossière, en testant, par exemple, les machines avant l'élection. Heureusement, les générations en service sont à la fois assez complexes pour vous permettre de les programmer précisément et assez obsolètes pour qu'on ne puisse en détecter la modification. Vous pouvez, par exemple, spécifier une combinaison de touches qu'un de vos complices effectuera dans le bureau de vote le jour du

scrutin, déclenchant alors le mode "triche".
Exemple : deux candidats x et y. Les administrés votant pour le candidat x déclencheront, tous les trois votes, une voix pour son adversaire. Le quatrième électeur votant x validera pourtant y sans le savoir. Mais il y a d'autres subtilités, et votre technicien se fera un plaisir de vous démontrer sa créativité en la matière. Avant de désosser l'engin, prenez néanmoins le soin de noter la marque du scellé, s'il est présent. Il vous faudra le remplacer avant le scrutin. Il est facile d'en acheter : à cent soixante-dix euros les mille pièces, vous pourrez même revendre le supplément à un autre adepte du vote truqué.

Vous allez maintenant installer votre programme dans les machines de la commune. Une paire d'eproms coûtant un peu moins de dix euros et chaque machine servant à un peu plus de mille électeurs, cette étape ne grèvera pas trop votre budget. Songez quand même que la configuration de chaque eprom prend plusieurs minutes : ne la faites pas au dernier moment, surtout si la ville qui vous intéresse est relativement grande. Vos eproms doivent ensuite être insérées dans chaque machine. Avec une petite équipe, vos futurs conseillers municipaux, par exemple, la manœuvre dure moins d'une minute. Notez que vous gagneriez quelques secondes avec un tournevis électrique. En quelques minutes, les machines seront prêtes à vous offrir votre élection, sans risque d'être découvert puisque le recompte n'est pas possible.

Reprenant les coûts estimés ci-dessus, la manipulation d'un parc de machines coûterait aux alentours de dix-sept mille euros pour une ville de cent cinquante mille habitants, soit dix pour cent des dépenses de campagne remboursables. Il faudra ensuite effacer les eproms. Attendez d'être élu et laissez passer un peu de temps. Vous voir roder autour des machines à voter pourrait attirer des suspicions. Quelques mois plus tard, lorsque l'élection paraîtra déjà loin dans l'esprit de vos administrés, organisez un effacement général en soumettant les puces à un rayonnement ultraviolet. Attention, l'étape est longue, nous vous recommandons donc un petit incendie pour problème de court-circuit. Toutes les machines seront détruites, vous n'aurez plus qu'à demander une subvention pour remplacer le parc, voire lever un impôt auprès de tous ces gens qui ne vous ont pas élu. »

J'étais pétrifié. Cette prescience qu'Alphandon avait triché que j'avais eue l'autre soir devant l'ancien Cabaret du ciel s'avérait vraie. Tout comme était vrai mon étrange rêve aux girafes avec cette statue « Triche et Trahison ». Les messages en réponse à cet article donnaient encore d'autres astuces pour trafiquer les machines. Certains informaticiens recommandaient la substitution des eproms dès la sortie d'usine. Que s'était-il passé au juste avec les machines de Perisac. Nous avions renouvelé le parc huit mois avant l'élection. Je savais que certaines voix s'élevaient contre ce procédé de vote, mais je n'y avais pas prêté plus d'attention que cela. La majorité des bureaux de la ville fonctionnaient encore sur le principe de l'urne et du bulletin. Comment Alphandon s'y était-il pris pour avoir accès aux machines ? Je l'ignorais, mais il était implanté sur place depuis des années et avait dû bénéficier de complicités locales. Le hangar n'avait pas brûlé comme le recommandait la dernière partie de l'article. Si je suivais la logique de son auteur, tout devait encore se trouver dans les fameuses eproms. C'était imparable. La preuve était encore là, à portée de main, entre Perisac et Beaulieu, sous les tôles d'un hangar que personne ne songerait jamais à visiter. Mon portable sonna. C'était la femme d'Armand qui me joignait depuis l'hôpital. Il était en soins intensifs et elle n'avait pu l'apercevoir que derrière une vitre. Les médecins réservaient leur pronostic durant quarante-huit heures encore. Elle me remercia d'avoir gardé la chienne, qu'elle viendrait récupérer en fin de journée, puis elle fondit en larmes à l'autre bout du téléphone. Je tentai de la rassurer du mieux que je pouvais et lui proposai que nous nous retrouvions au Harry's Bar. Elle accepta, me précisant entre deux sanglots que nous prendrions un Blue Lagoon car elle savait que c'était ce qu'y buvait Armand lors de ses rendez-vous. À peine avais-je raccroché, je téléphonai sur le portable de Sylvie qui ne répondit pas. C'était l'heure du déjeuner à La Musarde. Je lui laissai le message suivant : « Armand a fait une crise cardiaque, j'ai sa chienne et Alphandon a triché, j'en ai la preuve. »

Cinq minutes venaient de s'écouler durant lesquelles je tentai d'élaborer un scénario afin de dévoiler la supercherie, quand Sylvie me rappela.

— Je n'ai rien compris à ton message. Qu'est-ce qui est arrivé à Armand ?

Je lui racontai notre promenade, omettant le marchandage sur le dossier Massoulier, mais pas la révélation sur les eproms.

— Mais il faut y aller tout de suite ! cria Sylvie. Que fais-tu encore à Paris ?

Elle finit par me transmettre son état d'excitation. À la différence de ma femme, cette euphorie me rendait nerveux. Y aller, oui, bien sûr, mais je n'entendais rien à l'informatique, où allais-je trouver le petit génie capable d'ouvrir une machine à voter et de faire la démonstration devant un huissier, car il m'en faudrait un de toute évidence pour constater la manipulation, et un juge aussi. Je devrais téléphoner au président du tribunal de grande instance de Perisac.

— Un huissier, ça se trouve, le président Carolier, nous le connaissons, il te suffit de l'appeler.

— Et l'informaticien, je le trouve où ?

Un silence.

— Tu vois, toi non plus tu ne sais pas !

— Sur ta photo de classe…

— Oui ?

— Il n'y a pas un de tes amis qui est devenu informaticien ?

— Cédric Pichon, il est concepteur de jeux vidéo.

— François, me dit-elle doucement, s'il conçoit des jeux vidéo, la puce d'une machine à voter ne sera rien pour lui. Appelle-le.

— Je ne vais pas l'appeler comme ça, je n'ai pas revu ce garçon depuis trente ans et je lui parlais à peine à l'époque.

— Depuis plusieurs semaines, tu ne fais que ça : revoir des gens qui ne t'attendent pas, alors appelle celui-là, et vite ! cria-t-elle avant de raccrocher.

La chienne émit un drôle de sifflement puis se coucha sur le flanc.

— Oh non, pas ça... murmurai-je.

À la sortie du troisième chiot, il y eut comme une pause. La chienne me regardait la langue pendante, elle n'avait plus trop l'air de savoir s'il en restait d'autres à venir et je ne risquais pas de la renseigner. J'avais déposé les trois premiers dans une serviette éponge. De temps à autre, je passais un gant de toilette tiède sur son pelage et j'appuyais le plus doucement possible sur son ventre. Je débutais. La vie avec un félin mâle et castré ne m'avait pas préparé à ce genre d'événement. La femme d'Armand devait me rejoindre, je l'avais appelée dès la sortie du deuxième chiot. Ils étaient apparus enrobés d'une membrane qui ressemblait à un petit sac transparent. La chienne léchait cette enveloppe organique pour en extraire une petite bête noir et rose, encore aveugle. Elle raidit ses pattes et aboya à deux reprises, un quatrième chiot apparut. Je le recueillis avec mon gant de toilette tiède et le posai avec mille précautions sur la serviette. La chienne me regarda et poussa un grognement. J'avais l'impression qu'elle essayait de me dire que c'était fini. Je fis glisser la serviette sur le parquet pour amener le dernier chiot près de son museau. Elle donna quelques coups de langue pour libérer celui-ci. Les petites boules noir et rose se tenaient toutes serrées les unes contre les autres et frémissaient.

— C'est bien, tu es très belle.

Je lui caressai les oreilles, douces comme du velours, puis je m'assis en tailleur au milieu du salon. Je ne savais pas qui d'elle ou de moi était le plus épuisé et je me demandai comment faisaient les hommes qui assistaient à l'accouchement de leur femme. D'avoir tenu la patte d'une chienne labrador m'avait déjà bouleversé, si j'avais dû tenir la main de Sylvie pour Amélie, je me serais évanoui dès les premières minutes. À l'époque, j'avais timidement proposé de venir, la réponse de Sylvie m'avait soulagé au-delà de mes espérances.

— Hors de question. Tu viens déjà dans les cuisines de La Musarde, c'est suffisant.

Une bonne heure s'était écoulée. Le silence n'avait été interrompu que par quelques bruits de langue et des reniflements. Je n'avais pas bougé d'un pouce, repassant en boucle dans mon esprit les événements de la journée. Ben Vautier, dit Ben : c'était le nom de l'artiste aux phrases blanches, celui qui avait écrit que la Suisse n'existait pas ; cela venait juste de me revenir quand la sonnette de la porte d'entrée retentit. Sans un mot, je serrai la femme d'Armand dans mes bras puis l'amenai dans le salon. Elle se baissa vers la chienne et la félicita par des caresses à rebrousse-poil et des petites tapes qui semblaient lui plaire. L'hôpital n'avait donné aucune nouvelle depuis le dernier coup de fil et je sentis que cet événement-là compensait, pour quelques instants, l'autre, tellement plus inquiétant.

— Karim m'a parlé d'un dossier que je dois prendre auprès de toi, me dit-elle tandis que nous buvions un verre dans la cuisine.

— Karim ?

— Son garde du corps, son chauffeur, enfin... Je ne sais pas trop comment le définir, soupira-t-elle d'une voix lasse.

J'allai chercher le dossier Massoulier dans la penderie et l'emballai dans un sac plastique.

— C'est très important. Il ne faut pas que tu l'ouvres. À part Armand et moi, personne ne sait que ce dossier existe. S'il arrivait quelque chose...

Je ne savais pas trop comment tourner cette phrase-là.

— S'il arrivait quelque chose à Armand, poursuivit-elle avec calme.

— Il faudrait que tu le détruises, sans le lire. Voilà. Mais ça n'arrivera pas. Il va s'en sortir, dis-je en lui prenant la main.

Elle hocha la tête et je la sentis proche des larmes.

— Il y a des gens que le métier d'Armand fait rêver, moi pas. Tous ces trafics, ces nuits blanches, ces rendez-vous obscurs... Regarde le résultat.

Elle déposa les chiots sur une couverture de laine dans le grand panier d'osier qu'elle avait apporté, puis attacha sa laisse à la chienne. Elle avait garé sa voiture juste en bas et rentrait directement à Saint-Germain-en-Laye.

« Cédric PICHON, né en 1961 à Suresnes, est un programmeur et *game designer* français.

Il est l'un des créateurs de jeux vidéo les plus connus pour sa mégalomanie, présente dans chaque jeu.

En mars 1987, il crée sa propre société, dénommée Arcane, afin de développer des logiciels adaptés au marché boursier. Abandonnant rapidement cette perspective, il renomme sa société qui devient Antaria et produit son premier grand succès dans le domaine des jeux vidéo : *Eternity*, qui est distribué par Electronic Arts, suivi du mythique *Perfect Cristal* en 1993, qui connut cinq suites. Il abandonnera sa société en 1997 pour fonder Antarès-Sygma et ainsi retrouver sa liberté pour le développement de ses projets. Il a créé ce que l'on appelle aujourd'hui les *God Games*, en français, « les simulations de divinité ». Le principe est assez simple : permettre au joueur d'être un dieu et de décider du sort des personnes qui lui sont soumises. Dans cette catégorie, on peut citer *Liberty Jack*, dont une suite est en préparation. Son dernier jeu sorti est *Cosmos Divinity* sur Xbox 360. Cédric Pichon est aussi nommé le Peter Molyneux français, en référence au célèbre *game designer* anglais. Il a refusé de vendre Antarès-Sygma à Microsoft en septembre 2007 et continue d'être l'actionnaire majoritaire de sa société. Il a aussi refusé de s'installer aux États-Unis. Le siège d'Antarès-Sygma est toujours en région parisienne, à Issy-les-Moulineaux. Cédric Pichon n'a donné aucune interview depuis décembre 2001. »

Après m'être brièvement renseigné sur le Net, j'avais composé le numéro de Cédric Pichon. Le premier appel n'avait abouti qu'à un répondeur sans aucune annonce. Une minute plus tard, je recommençai.

— Allô…

— Cédric Pichon ?

La question fut suivie d'un long silence.

— Qui est à l'appareil ? demanda la voix.

— Je suis François Heurtevent, nous étions en classe ensemble.

La liaison fut aussitôt interrompue, je me retrouvai avec la tonalité de mon portable dans l'oreille sans savoir si Cédric Pichon avait raccroché volontairement ou si le réseau avait été coupé. Trente secondes s'étaient écoulées quand mon combiné sonna. « Appelant inconnu » s'affichait sur l'écran.

— Comment avez-vous eu mon numéro ? reprit la voix.

Derrière lui, j'entendais un bruit de circulation rapide, comme s'il se trouvait sur une autoroute, la vitre entrouverte.

— Personne ne possède ce numéro, ajouta-t-il.

Cette fois ma requête était particulière et je décidai de ne pas lui mentir.

— J'ai demandé à un ami des services secrets de me procurer votre numéro de portable.

Ma phrase fut à nouveau suivie d'un silence.

— Intéressante réponse… Nous nous sommes connus, dites-vous…

— Au cours Levert en 1978.

— Quel est le but de votre appel ?

— J'ai un problème informatique. Je suis le maire d'une ville… De Perisac… Mon élection a été truquée, il s'agit de puces que l'on peut modifier dans les machines de vote, de puces nommées eproms. Je crois qu'elles sont toujours dans les machines, il me faut quelqu'un pour m'aider à les lire avec un huissier. J'ai besoin de votre aide.

Un nouveau silence suivit mon bref résumé. Je me sentais mal à l'aise avec cet homme sans visage à l'autre bout du téléphone, à qui je confiais un secret électoral. J'étais loin de mes précédentes rencontres, pour lesquelles j'avais scénarisé le hasard et, dans la mesure du possible, contrôlé le déroulement. Ici, ce n'était pas le cas.

— Je vais vous passer mon assistante, vous prendrez rendez-vous avec elle pour demain matin dix heures quarante-deux.

Sur cet horaire atypique, il me passa une jeune femme qui nota mes coordonnées, me demanda de lui refaire un résumé de ma situation et aussi d'épeler le nom du cours Levert, certainement pour vérifier mes dires auprès de la secrétaire de Daniel Célac. Elle me confirma aussi mon rendez-vous pour dix heures quarante-deux.

Les bureaux d'Antarès-Sygma, situés à Issyles-Moulineaux, s'étendaient sur quatre étages d'une construction moderne aux larges baies vitrées donnant sur la Seine. Je patientais depuis un bon quart d'heure dans une vaste salle décorée d'immenses portraits photographiques en noir et blanc : Einstein, Dali, Kubrick, Picasso, Rockefeller, Warhol. Cet étrange panthéon de génies décédés fixait l'objectif sur chacun des clichés. J'éprouvais ainsi la désagréable impression d'être observé par eux, mais je supposai que c'était le but de cette savante mise en place. Entre chaque visage, il y avait un écran plat relié à une webcam située quelque part dans le monde. Ils transmettaient leurs images en direct, ainsi que l'heure du fuseau concerné : la place Saint-Marc, les pyramides d'égypte, la tour Eiffel, la montagne aux lettres blanches d'Hollywood et la place Rouge à Moscou apparaissaient dans des plans fixes que ne venaient perturber que quelques silhouettes anonymes. Il était dix heures trente-sept sur l'écran de la tour Eiffel.

La veille, en fin d'après-midi, j'avais eu le président du tribunal de grande instance. Carolier était un habitué de La Musarde et l'un des rares à avoir été autorisé à faire la visite des cuisines.

— Je saisis le caractère confidentiel de cette requête. Je vais rendre immédiatement une ordonnance vous autorisant à faire intervenir un huissier. Vous êtes sûr de votre coup ?

— Oui, avais-je dit faiblement, songeant que s'il n'y avait plus de traces dans les eproms je passerais à jamais pour un mythomane.

— Il faut aller très vite, je suppose ?

— Au plus vite.

— Je vais prévenir Corel, comme huissier cela vous va ?

— Très bien.

— C'est un garçon discret, je vais lui demander de se tenir prêt. Si vous dites vrai Heurtevent, l'onde de choc va être énorme.

La jeune fille qui m'avait prié de patienter ouvrit la porte et vint se placer à mes côtés.

— Monsieur Heurtevent, avez-vous déjà rencontré monsieur Pichon ? s'enquit-elle.

— Pas depuis trente ans.

D'une voix douce, elle m'expliqua qu'il existait une sorte de procédure à suivre avec monsieur Pichon. Le mot revint dans sa bouche plusieurs fois, comme dans celle du correspondant Verner. Mais là, je me demandai si la jeune fille ne se moquait pas de moi : il ne fallait pas serrer la main de monsieur Pichon car il ne supportait aucun contact tactile. Il ne fallait d'ailleurs pas l'approcher à moins de trois mètres, et éviter également de le regarder dans les yeux trop longtemps. Et surtout, il ne fallait jamais lui couper la parole. Elle me remerciait de bien vouloir respecter ces consignes. Le personnage qu'elle me décrivait avait tout du tyran paranoïaque ou du gourou de secte. Elle finit ces quelques recommandations en reconnaissant que monsieur Pichon était un peu spécial, mais que c'était ainsi, qu'il était un génie. Elle ajouta ce dernier mot avec un sourire d'excuse, puis nous attendîmes, dans un silence pesant, que l'horloge veuille bien afficher l'horaire exigé. À dix heures quarante et une minutes et quarante secondes, elle m'invita à me lever et à la suivre. Nous traversâmes des bureaux où des hommes et des femmes, jeunes, étaient installés devant des écrans. Aucun ne prêta attention à nous. Mentalement, je comptai jusqu'à vingt pour voir si ce que j'imaginais était vrai. Je ne me trompais pas, elle avait calculé à la seconde près notre arrivée devant la porte du maître. Dix-huit... Dix-neuf... Vingt. Elle passa la main devant un écran tactile.

— Monsieur François Heurtevent, dit-elle en s'adressant à l'écran.

La porte s'ouvrit dans un souffle aussi puissant que celui du coffre de Genève.

Une pièce immense, entièrement blanche, sans aucun cadre ni écran au mur. Au fond, près des baies vitrées, un bureau et un fauteuil vide. Dans l'angle gauche, un homme assis dans un canapé en cuir blanc. Les cheveux rasés, vêtu d'un costume et d'un gilet de velours blanc. Il portait des gants de soie. Pas un instant je ne reconnus mon camarade de classe. Il me regarda avancer vers lui, un fin sourire sur les lèvres.

— Bonjour, François Heurtevent, me dit-il d'une voix douce.

Je m'apprêtais à lui serrer la main, quand je me rappelai la consigne. De sa main gantée, il m'invita à m'asseoir sur un fauteuil qui, j'en étais convaincu, était disposé à trois mètres exactement de son canapé. Je posai ma sacoche sur mes genoux pour en extraire la photo de classe.

— J'ai apporté une photo...

Je la lui tendis. Il la prit, la regarda et hocha la tête.

— Effectivement, nous étions ensemble dans cette classe. Mais je n'ai aucun souvenir de toi. Peu importe, tu es venu à moi pour ton problème d'élection. Tu es un personnage intéressant. Tu viens de ta réalité avec tes problèmes réels, les gens de mon monde vont t'aider à retourner dans le tien.

Je le regardai en silence.

— Oui, articulai-je, un peu désemparé. J'ai surtout un problème informatique.

— Non. Si tu n'avais qu'un problème informatique, je ne t'aiderais pas, je ne suis pas un service de dépannage pour PC. Tu as un problème de monde.

— De monde ?

— Tu n'arrives pas à retourner dans ton espace-temps, tu es passé dans un autre monde et il te faut revenir dans le tien, mais tu ne trouves pas la clef. Tu es le héros de *Perfect Cristal 5*. Tu dois retourner dans ton monde. Tu dois redevenir maire de cette ville, pour l'instant tu es dans les limbes.

Malgré ses tournures poétiques et sa folie alambiquée, Cédric Pichon n'avait pas tort. Son analyse était bien plus brillante que celle de tous ces gens qui me conseillaient encore il y a peu de « prendre du recul ». Pichon avait raison, j'étais dans les limbes et je voulais retourner dans mon monde. Cet homme était peut-être bien le génie que m'avait annoncé son assistante.

— Lève-toi, je vais te choisir un chevalier pour t'accompagner dans ta traversée.

La jeune assistante brune le précédait de trois mètres tandis que je suivais derrière, ma sacoche à la main. Elle ouvrit en grand les portes d'une salle de réunion. Une vingtaine de personnes étaient assises derrière des pupitres disposés en cercle, tous se levèrent à l'entrée du maître qui vint se placer au centre. Parmi ces jeunes gens, dont le plus âgé ne devait guère excéder les vingt-cinq ans, je reconnus Karine, l'amie de ma fille qui m'avait tiré les cartes. Les jeux vidéo pour lesquels elle dessinait ses étranges princesses étaient donc ceux de Cédric Pichon. Elle m'adressa un clin d'œil discret, puis tout le monde se rassit.

— Nous devions avoir une réunion sur le jeu *Fable 2* et les nouvelles interfaces mentales créées par Peter Molyneux, commença Cédric

Pichon. Un imprévu de la réalité vient modifier le scénario de cette réunion...

Tous l'écoutaient les yeux grands ouverts et buvaient ses paroles.

— Ce personnage, dit-il en me désignant, a un problème. Il doit retourner dans son monde.

Il y eut un silence puis une jeune fille leva la main.

— Qui est-il ?

— C'est le maire de Perisac, il a perdu ses élections. Mais il est porteur d'un secret : les machines à voter ont été truquées et notre personnage devrait toujours être maire.

Un jeune homme leva la main. Cédric Pichon lui accorda la parole d'un bref mouvement du menton.

— Sentiment d'injustice et parcours initiatique. C'est *Perfect Cristal 5*.

— Très bien, Kevin, c'est ce que j'ai dit à notre personnage, mais c'est un profane, il ne connaît pas *Perfect Cristal* version 5.

L'amie de ma fille leva la main.

— Je connais le personnage. J'ai des informations sur son avenir.

— Qui est-elle ? demanda Cédric Pichon, désignant l'amie d'Amélie d'un geste ample.

— Karine, la princesse de la lune, répondirent en chœur les participants.

J'étais tombé chez les fous. Une véritable secte dont je me demandais si elle était si inoffensive que cela.

— Tu vois, me confia Cédric Pichon, toujours avec cette même voix douce et monocorde. La fiction et la réalité se rejoignent.

— Alors, Karine, que possèdes-tu comme information sur lui ?

— Je sais que ce qu'il prétend est vrai, je sais qu'il a été trahi et qu'il va retrouver son royaume.

— Question technique... précisa un jeune homme aux cheveux oxygénés. C'est un problème d'eproms qu'a le personnage ?

— Bien vu. Un problème qui est dans tes compétences. Raphaël, tu viens de te désigner comme chevalier, tu pars avec lui dans la minute.

Le jeune homme se leva et Cédric Pichon m'adressa un sourire.

— Voilà. Maintenant, tu t'en vas, me commanda-t-il.

Raphaël me fit un petit signe m'invitant à le suivre.

— Les univers mis en place par Peter Molyneux... commença Pichon devant son assemblée.

Il était désormais impossible de l'interrompre. Je ne pouvais pas lui serrer la main, ni même le remercier, il ne faisait d'ailleurs plus attention à moi. Qu'était-il au juste, un grand excentrique ? Un psychopathe ? Jamais je n'aurais la réponse à cette question. Tandis que je quittais la pièce, l'amie de ma fille me suivit du regard puis elle croisa son index et son majeur à mon intention, signe qu'elle m'encourageait.

Ce fut la première fois de ma vie que j'éprouvai le sentiment de désincarnation. La vitesse était telle que je ne sentais plus mon corps. Je n'étais plus qu'un esprit me déplaçant à une allure vertigineuse sur une ligne bitumée que je ne distinguais d'ailleurs plus du tout. J'eus aussi tout le loisir de me dire que j'allais mourir sur cette trajectoire abstraite, que le choc serait si rapide que je ne sentirais rien. Pourtant, rien de tel ne se produisit, mon pilote était hors pair.

Le monstre jaune qui me ramenait vers mon monde portait le nom de Suzuki Hayabusa. Une moto comme je n'en avais aperçu que lors de brefs zappings télévisuels sur les chaînes sportives. Il n'était pas question pour Raphaël de se rendre autrement à Perisac et je n'avais pas osé le contrarier. Il avait revêtu une combinaison pleine de logos et m'en avait tendu une autre, que j'avais enfilée par-dessus mon complet, après avoir glissé ma sacoche contre ma poitrine. Durant nos arrêts sur des aires d'autoroute, Raphaël me posa des questions sur Pichon il y a trente ans, en retour je l'interrogeai sur l'homme qu'il connaissait aujourd'hui.

— Il est dans son monde, il me fait penser au héros de *La Défense Loujine* de Nabokov.

J'acquiesçai lâchement, je n'avais pas lu le roman. J'en avais juste entendu parler, il y avait fort longtemps. De mémoire c'était une histoire de joueur d'échecs fou. La comparaison était plutôt bien trouvée.

Lors d'un arrêt pour refaire le plein, tandis que je tenais à peine sur mes jambes et que mes cuisses étaient comme anesthésiées, il me donna un cours sur le pencher du genou. Ce que nous allions faire, d'après lui, en arrivant sur les petites routes, ressemblerait beaucoup à ce qu'effectuaient ces motards du Bol d'or qui se couchent sur le bitume de Magny-Cours, le genou jusqu'au sol, pour accomplir leurs virages.

Arrivé devant La Musarde, j'étais finement rodé à l'exercice et, surtout, au bord de l'évanouissement. Nous retrouvâmes Sylvie dans les cuisines. Je la serrai dans mes bras, je sentis l'odeur de sa nuque tout contre ma joue. J'étais revenu dans mon monde.

Elle veillait à la préparation d'un plat que je reconnus dès mon entrée, grâce aux ingrédients qui s'étalaient sur la table : un faisan, un lièvre, deux bécasses, des filets de porc, des ris de veau et une pyramide de truffes fraîches. Quelqu'un avait commandé les « Oreillers de la belle Aurore ». L'un des plats les plus complexes à réaliser qui soit. Seuls quelques chefs en France savaient encore préparer la mythique recette de Brillat-Savarin baptisée « Au fumet plumes et poils ». Jamais je n'en avais retenu la composition exacte. Il fallait faire mariner les viandes au moins douze heures dans l'huile d'olive, préparer les farces composées de gibiers à poil et à plumes, y mêler des foies de perdreaux, du champagne, du lard, du madère et des lamelles de truffes. L'invraisemblable composition était ensuite recouverte d'une pâte feuilletée, refermée en forme d'oreiller. Détail qui m'avait fasciné, les rares fois où j'avais assisté à sa préparation : juste avant de la mettre à cuire, Sylvie caressait la pâte en se servant d'une plume de faisan trempée dans du jaune d'œuf.

— C'est dingue tout cela... murmura Raphaël en regardant le gibier.

— Vous n'êtes jamais venu dans une cuisine ? le questionna Sylvie.

— Pas une comme celle-là... précisa-t-il avant de s'informer sur les oreillers.

Sylvie se fit un plaisir de lui détailler la recette. N'importe quel profane aurait décroché dès la première minute, Raphaël, lui, l'écoutait avec cette même attention fascinée que j'avais remarquée dans l'auditoire de Cédric Pichon.

— Et lorsque le pâté n'est plus que tiède, on coule à l'intérieur un décilitre et demi de gelée de gibier de plumes. Ensuite, on attend que l'oreiller refroidisse et on sert quelques degrés en dessous de la température ambiante, expliquait Sylvie, qui paraissait elle-même étonnée qu'on ait pu l'écouter jusqu'au bout et qui plus est la comprendre.

— Je voudrais rester ici... dit Raphaël.

— Ici ?

— Oui, pour regarder, si j'ai le droit. Pour regarder comment fonctionne une cuisine de restaurant. On croirait... un immense cerveau.

Sylvie fit une petite moue et se tapota l'épaule du plat de son couteau. Signe de réflexion intense chez ma femme.

— Oui, rétorqua-t-elle, flattée. C'est vrai, c'est un peu comme un cerveau, je n'y avais jamais pensé.

Je laissai ce jeune homme se cultiver auprès d'un des meilleurs chefs de France et je m'isolai pour mettre au point mon programme. Le président Carolier et l'huissier Corel devaient être recontactés de toute urgence, les événements s'étaient précipités. Avec un peu de chance nous pourrions nous retrouver devant le hangar dans l'après-midi. Les choses se mirent en place, l'huissier me téléphona, puis à nouveau le président du tribunal de grande instance. Corel pouvait se rendre disponible vers seize heures.

L'huissier nous attendait, adossé à la portière de sa voiture, il fumait une cigarette qu'il écrasa à notre arrivée. Cette fois encore j'avais suivi Raphaël sur sa Suzuki et l'huissier ne manqua pas de hausser les sourcils en nous voyant.

— Je ne vous savais pas motard, monsieur le maire, me railla-t-il d'un ton mondain.

— Je suis juste passager, précisai-je tout en pensant à la tête qu'il aurait faite s'il m'avait vu avec ma combinaison.

Cette fois le trajet était court et nous ne les avions pas revêtues. Corel salua Raphaël en lui donnant du « monsieur ». La différence de monde, comme aurait dit Cédric Pichon, était flagrante : les cheveux oxygénés de Raphaël et sa tenue en jean élimé, contre la coiffure très « premier de la classe » de l'huissier et son costume-cravate bleu sombre.

— Messieurs, dit Corel, très solennellement, sur requête de monsieur François Heurtevent, ici présent, qui a saisi la justice en la personne du président Carolier, nous allons procéder à l'ordre du jour, soit une vérification informatique au motif de la présomption de fraude électorale. Allons-y.

Corel se dirigea vers la vitre du gardien et frappa trois coups. « Qu'est-ce que c'est ? » entendit-on de loin.

— Huissier de justice, monsieur, veuillez nous ouvrir.

Un Fenwick jaune stationnait au milieu du hangar. Des caisses en bois et des containers étaient empilés, parfois sur une dizaine de mètres de hauteur.

— Les machines à voter ? Il faut que je regarde, je suis arrivé après les élections, moi, grogna le gardien en retournant dans son bureau.

— Votre prédécesseur est parti ? lui demandai-je.

— Oui, il est parti me répondit-il, le nez dans un plan des lieux. J'aurais voulu le croiser d'ailleurs, tellement c'est mal foutu ici... Cinquième travée, c'est bon, je vois où c'est.

Guidés par le gardien, nous nous déplaçâmes parmi des accumulations diverses qui, avec le temps, avaient formé des secteurs : archives papier, matériel stocké, éléments décoratifs, avec pour cette zone-là une impressionnante collection de bustes de Marianne en plâtre. Selon les changements de maire, les Catherine Deneuve, les Brigitte Bardot ou les anonymes achevaient leur carrière dans ce coin du hangar. Les photos des présidents de la République encadrées formaient une pile instable. Jamais je ne m'étais occupé du stock des archives municipales, et jamais je n'étais venu ici. Le hangar dit « de Beaulieu », bien qu'il fût toujours à Perisac, était pour moi un lieu parfaitement abstrait pour lequel je n'avais fait que signer de temps à autre des formulaires administratifs. Devant ces montagnes de matériel accumulé au fil des décennies, je me dis qu'il y aurait une belle vente aux enchères à organiser afin de libérer de l'espace. Toutefois, qui aurait été prêt à débourser quelques euros pour récupérer tout ce fatras ? Ces reliques républicaines n'avaient en réalité qu'une place : la déchetterie.

— Voilà, c'est là, soupira le gardien. Tout ça, c'est le matériel électoral, ajouta-t-il en englobant dans son geste toute une travée.

— Il y a une source électrique ? s'enquit Raphaël.

Le gardien lui indiqua un gros boîtier fixé sur une colonne.

— Merci, dit Corel, vous pouvez nous laisser maintenant. Monsieur l'informaticien, c'est à vous.

Raphaël posa son sac, en sortit un ordinateur portable, quelques câbles et des outils.

Je retrouvai les panneaux d'aluminium et leurs chaînes antivol, ceux sur lesquels on apposait nos affiches de campagne à l'entrée des écoles. Ils étaient immaculés. On avait dû user d'une décolleuse pour enlever les restes d'affiches et les graffitis qui plaisaient tant à Guillaume Lux, le petit photographe.

— C'est parti, prévint Raphaël.

Il s'approcha de la première machine. Une grande caisse plate, que nous l'aidâmes à déplacer. Elle devait peser une bonne trentaine de kilos. Il la posa au sol et l'ouvrit comme s'il s'agissait d'un ordinateur portable géant, puis il rabattit les deux volets, censés assurer plus de discrétion à l'électeur, de chaque côté de l'écran. Sur le clavier, les noms des deux candidats du second tour étaient encore affichés sur les boutons correspondants. Alphandon à droite, Heurtevent à gauche.

— Ça doit se soulever, murmura-t-il...

Il fit le tour de la machine. Corel et moi le regardions les bras ballants, embarrassés de ne pas pouvoir l'aider davantage.

— Il y a un scellé, déclara l'huissier, il n'a pas été ouvert.

— Ça ne veut rien dire, ça se trouve n'importe où des scellés, l'informa Raphaël. Je peux vous en acheter sur le Net, ajouta-t-il.

Corel ne répondit pas.

Raphaël commença à ouvrir le corps de la machine avec un tournevis. Le gros capot en métal blanc renfermait un circuit qui me parut très complexe.

— C'est là que se trouvent les eproms ?

— Vous voyez que vous êtes doué... me dit-il avec ironie.

Entre le pouce et l'index, il se saisit d'une barrette métallique, la fit sauter de son emplacement et la regarda à la lumière.

— Voilà, c'est là-dedans que ça se passe. Et aussi chez sa petite sœur, nous apprit-il en faisant sauter la seconde. OK ? Deux eproms, vous suivez ?

Corel et moi acquiesçâmes.

— Il y a aussi une sortie papier, pour le résultat des votes, ajouta-t-il en désignant un rouleau blanc comparable à celui d'une caisse enregistreuse. On l'utilisera à la fin.

Il alluma son ordinateur portable et le relia à une sortie du système informatique de la machine à voter, puis replaça le capot et partit brancher l'ordinateur de vote. Sur l'écran du portable, des centaines de chiffres en ligne se mirent à défiler. Il s'assit en tailleur devant son écran.

— La mémoire paraît intacte, murmura-t-il. Les eproms n'ont pas été effacées.

Corel me lança un regard.

— Je vais vous demander de participer. Nous allons ouvrir une séquence de vote, dit Raphaël.

Il appuya sur une touche de son clavier.

— Voilà, expliqua-t-il, maintenant nous allons voter cinq fois pour Heurtevent, cinq fois pour l'autre.

— Corel, vous votez pour moi ? dis-je à l'huissier.

Il s'agenouilla devant la machine et vota cinq fois pour la liste Heurtevent, prenant quelques secondes entre chaque validation.

— Parfait, j'ai le retour écran, nous indiqua Raphaël. Allez-y pour Alphandon.

Je m'agenouillai à mon tour devant la machine et imitai Corel, cinq votes pour Alphandon, validés par Heurtevent en personne. Même dans mes cauchemars les plus déments, je n'avais pas eu cette vision.

— Recommencez un vote Heurtevent, commanda Raphaël.

J'appuyai sur ma touche.

— Un Alphandon, demanda-t-il.

Je revalidai mon adversaire. Raphaël ne quitta pas son écran des yeux durant plusieurs secondes, puis il fit une petite grimace.

— Qu'est-ce qu'il se passe ?

— Rien, justement, il ne se passe rien d'anormal.

Il se leva, partit ouvrir à nouveau le capot et revint à l'écran. Plusieurs secondes s'écoulèrent en silence, Corel et moi nous regardâmes sans un mot.

— Elle n'est pas encodée.

— C'est-à-dire ? demanda Corel.

— Il n'y a pas de code déclencheur. En clair ça signifie qu'aucun complice ne doit rentrer un code après le branchement pour déclencher un mode triche.

— Conclusion ?

— La machine que l'on teste est conforme. Je ne vois pas de piratage.

Raphaël voulut aussitôt en essayer une autre. Nous en sortîmes une deuxième. À nouveau, il ouvrit le capot, brancha son ordinateur, et nous recommençâmes une séquence de vote à quatre Heurtevent et trois Alphandon. Le résultat fut identique. Rien à signaler d'anormal dans le programme. Il y avait bien quatre voix pour moi et trois pour Alphandon. Nous fîmes de même avec une troisième machine, sans plus de résultat. Corel, déjà peu bavard, ne disait plus rien. Je me sentais au bord du malaise et je commençais à regretter tout cela. Jamais je n'aurais dû aller jusque-là, jamais je n'aurais dû demander l'aide d'un juge et convoquer un huissier. Corel n'était plus le témoin d'une manipulation informatique mais celui de ma déchéance la plus complète. François Heurtevent n'était plus qu'un malheureux type qui n'acceptait pas sa défaite aux élections et remuait ciel et terre pour des fantasmes tout droit sortis de son esprit embrumé. Je sentais bien que ces pensées-là trottaient aussi dans la tête de l'huissier, et si j'avais été encore enfant, je me serais assis par terre et me serais mis à pleurer. Corel regarda sa montre et je l'imitai, cela faisait plus d'une demi-heure que nous étions là. Raphaël n'avait pas quitté son écran des yeux.

— Génial... murmura-t-il dans un souffle.

Il était le seul à se comprendre et ne donna aucune explication durant une dizaine de secondes qui me parurent sans fin.

— Que se passe-t-il ? demanda l'huissier.

— Il y a un compte à rebours...

Raphaël nous examina en silence avec un sourire de vainqueur.

— ... Le mode triche s'autodéclenche très exactement sept minutes et quarante secondes après la mise sous tension de la machine.

— Nous avons voté et le résultat était correct, lui rappela Corel.

— Oui, parce que nous avons voté trop tôt. Personne ne vote juste après la mise sous tension de la machine. Elles sont branchées des heures avant que les électeurs ne rentrent dans le bureau de vote. On recommence !

Nous votâmes de nouveau à tour de rôle. Puis Raphaël s'écria :

— Je l'ai ! Continuez !

Corel et moi nous observâmes, cette fois l'air de lassitude que je lisais sur son visage depuis un bon quart d'heure s'était évanoui. De mon côté, je sentais mon sang parcourir mon corps à toute allure. Comme deux automates, nous validions alternativement les deux listes.

— Ça recommence, exulta Raphaël. C'est une séquence en boucle.

— Expliquez-nous, le pria Corel, en validant une fois encore Alphandon.

— Tous les quatre votes pour Heurtevent, le quatrième valide un Alphandon... Dans deux votes ça recommence, trois... quatre... Voilà ! Cessez de voter Alphandon, ne validez plus que des Heurtevent.

Je validai une suite de votes en ma faveur.

— Voilà ! Il ressort ! s'écria Raphaël, derrière son écran. C'est ça la manip, les Heurtevent valident des Alphandon sans le savoir.

— Nom de Dieu, balbutia Corel.

— La séquence est close, dit Raphaël.

Il se leva précipitamment pour ouvrir le capot de la machine, nous le suivîmes pour voir le long ticket s'imprimer, donnant les résultats de l'élection. Il le déchira et le parcourut.

— Voilà, ici tout paraît normal, confirma-t-il en le tendant à Corel. Regardez la fin, nous n'avons plus voté que pour Heurtevent et pourtant il y a des Alphandon.

Corel examina le ticket.

— J'appelle le juge, décida-t-il.

La moto jaune de Raphaël s'éloigna bruyamment vers le carrefour, puis elle ne forma plus qu'un petit point, tout au loin, dans l'avenue de la République. Avant qu'il ne parte, Sylvie lui avait fait cadeau d'un oreiller spécialement confectionné pour lui, avec la recommandation de le manger dès son arrivée à Paris. Il l'avait déposé avec précaution dans le coffre de sa moto avant d'en faire vrombir le moteur.

Bientôt, la tempête se lèverait, Alphandon et son conseil municipal seraient balayés, de nouvelles élections auraient lieu et tout reprendrait sa place. Après avoir embrassé Sylvie, je partis en promenade dans ma ville. Sans but précis, comme je ne l'avais pas fait depuis trop longtemps. Tandis que je m'approchais du pont des Changes, le soleil fit une trouée dans les nuages et je retrouvai ce sentiment fugace qui m'avait traversé, l'autre matinée, à la terrasse du Rendez-vous de Jean Bart. Je m'accoudai à la rambarde de pierre et fermai les yeux. Les instants de bonheur. Je n'arrivais pas à trouver mieux que l'association de ces deux mots pour définir ces moments-là. Ils nécessitent un subtil mélange qui tient à la fois du bleu du ciel, de la lumière du soleil, peut-être même de la pression atmosphérique sur le système nerveux et les vaisseaux sanguins. Les instants de bonheur sont une sorte de retour à l'enfance. Lorsqu'ils ont lieu, on retrouve la grande quiétude de nos premières années. La vie soudain se fait plus essentielle. L'angoisse du lendemain s'estompe, l'incertitude des projets en cours se dissout, tout redevient beaucoup plus évident, beaucoup plus clair, à la manière d'un objectif d'appareil photo avec lequel on parviendrait de nouveau à faire le point, alors que depuis longtemps il ne sortait plus que des tirages à demi flous.

Accoudé au pont des Changes, je sentais que la parenthèse s'était refermée. De ces semaines étranges, il restait un grand appartement vide, une assiette en porcelaine avec une girafe, un placard ouvert dans un mur et dans le fond d'une penderie un dossier que je n'aurais jamais dû ouvrir. « Brûle-le », avait conseillé Marjorie Levart. Elle avait raison. Je le brûlerais quand je repasserais rue de Bourgogne récupérer mes affaires. Il y avait une grande cheminée dans l'appartement, Derk et moi y brûlions des kilos de papiers, il refusait obstinément l'achat d'une broyeuse électrique. « Le feu, il n'y a que ça », disait-il. Puis il se penchait vers l'âtre et du bout du tison de fer forgé, il remuait les braises en murmurant : « Le feu et les souvenirs. »

Sur la berge du fleuve, une classe de randonnée d'une vingtaine de garçons et de filles vint se placer dans le soleil. Le premier rang mit un genou à terre, le second resta debout. Devant eux, je reconnus Guillaume Lux. Il replaça quelques participants, puis se recula. Tous s'immobilisèrent. Le photographe déclencha son appareil, fit une deuxième photo, puis une troisième, et le petit groupe se disloqua sur la berge. Du regard, je suivis leurs silhouettes et celle de Lux qui observait le retour image dans son appareil. Une dernière fois, la silhouette brumeuse du jeune garçon que j'avais été me traversa l'esprit, sans que je puisse vraiment distinguer ses traits. Marjorie Levart, dans son boudoir de Metz, me parut définitivement irréelle. Tout comme Sébastien Beauchy à qui j'avais eu l'extravagance de demander s'il était sorti avec Delphine Poisson. François Truffix et sa fille sur la péniche, Daniel Célac dans l'appartement du directeur du cours Levert, tous n'avaient désormais pas plus de réalité que le souvenir d'un rêve. Dominique Pierson et ses objets d'art détestés, Jérôme Auberpie et son amour inaccessible, et le correspondant Verner, et Cédric Pichon que j'avais croisé le matin même. Déjà les traits de leurs visages se brouillaient dans ma mémoire, ils retournaient dans le passé, loin, très loin, à leur place, dans une matinée où un photographe avait prononcé devant une classe : « Ne bougez plus… Voilà, je vous remercie. » Oui, sûrement avait-il prononcé ces mots, tout comme venait de le faire Guillaume Lux. Et sûrement avait-il oublié nos visages dans l'heure qui suivait. Il s'était rendu dans une autre école pour prendre une autre photo de classe et, dans son esprit, tous les enfants et toutes les photos de classe se mélangeaient pour n'en former plus qu'une : la photo de la jeunesse enfuie. Celle que l'on égare dans les vieux tiroirs et qu'un jour parfois on retrouve.

Remerciements

À ma mère, à mon père qui n'est plus là pour me lire...

À mes amis, à mes amies. À Marike Gauthier, à Yann Briand. À Vincent Eudeline, Barthélemy Chapelet et Julien Levy. À Stéphanie Lollichon. Aussi à Jean-Alexis A., à Michèle M., à Anne G., à Sophie R. À l'homme qui a inspiré Armand Vouste et qui se reconnaîtra, à son chauffeur. À tous les grands funambules de la politique. Aux hommes de l'ombre. Aux actrices de théâtre des années soixante-dix. À M. le proviseur. À Marc Dorcel. À H. le banquier. À Marc, le spécialiste de la race canine, à l'autre Marc, l'antiquaire. À François Audouze, le gourou des vins. À G. B., le grand chef. Aux autres. Aux cuisinières. À l'ami Jean-Paul Desprat, à l'ami Adrien Goetz. Merci à Chantal la coiffeuse, et L. Fyda. Merci à maître M., avocat et à François G., avocat. Merci à Delphine T. Aux commensaux et au moutardier. À H. L. F., membre du parti communiste. À J. K. S. le maître des puces. À Margret M. Au *game designer* qui inspira Cédric Pichon, à

347

l'ancien ministre, à la voyante, au prêtre, à Nathalie L. à C. Maggiori, à F. Fontaine, à l'équipe de Palace-Costes et à celle de *L'écho des savanes*. Au Paris-Rome. À madame O. Veber. À Laurent du Harry's Bar et à l'équipe de ce noble établissement. À S. la prostituée, et à tous ceux et toutes celles que j'ai croisés, en vrai ou en pensée durant l'écriture de ce livre, où que vous soyez…

11377

Composition
FACOMPO

Achevé d'imprimer en Espagne
par CPI
le 2 février 2016

Dépôt légal février 2016
EAN 9782290105283
OTP L21EPLN001806N001

ÉDITIONS J'AI LU
87, quai Panhard-et-Levassor, 75013 Paris

Diffusion France et étranger : Flammarion